科学新知系列

可怕的科学
HORRIBLE SCIENCE

魔术全揭秘
MYSTICAL MAGIC

[英] 艾弗·巴德尔 [英] 乔尼·祖克尔 原著 [英] 迈克·菲利普斯 绘 屠颖 译

U0257222

北 京 出 版 集 团
北京少年儿童出版社

著作权合同登记号

图字:01-2005-4759

图书在版编目(CIP)数据

魔术全揭秘/(英)巴德尔(Baddiel, I.),(英)祖克尔(Zucker, J.)原著;(英)菲利普斯(Phillips, M.)绘;屠颖译.—2版.—北京:北京少年儿童出版社,2010.1

(可怕的科学·科学新知系列)

ISBN 978-7-5301-2391-1

Ⅰ.魔… Ⅱ.①巴… ②祖… ③菲… ④屠… Ⅲ.魔术—少年读物 Ⅳ.J828-49

中国版本图书馆 CIP 数据核字(2009)第 195953 号

可怕的科学·科学新知系列

魔术全揭秘

MOSHU QUAN JIEMI

[英]艾弗·巴德尔 (英)乔尼·祖克尔 原著
[英]迈克·菲利普斯 绘
屠颖 译

*

北 京 出 版 集 团 出版
北 京 少 年 儿 童 出 版 社
(北京北三环中路6号)
邮政编码:100120

网 址:www.bph.com.cn
北 京 出 版 集 团 总 发 行
新 华 书 店 经 销
三河市天润建兴印务有限公司印刷

*

787毫米×1092毫米 16 开本 9.75 印张 50 千字
2010 年 7 月第 2 版 2021 年 12 月第 44 次印刷
ISBN 978-7-5301-2391-1/N·179
定价:22.00 元
如有印装质量问题,由本社负责调换
质量监督电话:010-58572393

目 录

节目预演

　　如果你曾经在魔术表演中见识过魔术师凭空消失，看见一个人被锯成两半后又完好无损地活了过来，或者目睹某人在寒冷的冰窟窿里竟然存活了数天，我敢打赌你一定觉得这太神秘，太不可思议了，并且有一种被欺骗的感觉。我还敢打赌，你一定很想知道魔术师们是怎么完成这些匪夷所思的把戏的，难道不是吗？

　　别着急，本书将会为你揭示一些魔术中的骗局，但不是全部哦。要知道，魔术师们可是一帮十分诡秘的家伙，如果我告诉你太多，没准儿他们会轻而易举地把我送到月球上去，而且永远都不接我回来。所以呢，你只好用你的脑袋瓜好好想想他们是怎么骗你的。

干得不错，老爸！

　　在本书中，你将学习如何成为一名使人们产生幻觉的表演者，因为这就是本书的精华所在啊！你即将看到的魔术师们其实并没有任何特殊的或者超自然的神力，他们都是普通人罢了，只不过练习了很多很多次，所以才会让你觉得他们做了如此不可思议的事情，而且还那么有趣，那么神秘。想想看，如果他们能做到——你为什么不行呢？

好了，选一个可怕的把戏吓唬吓唬你的朋友吧，不过你一定需要个向导，那么就一起欢迎顶尖的、唯一的格雷特·马奇迹先生，还有他笨笨的助手——阿呆。

谢谢，谢谢，谢谢大家！你们真是太好了！不过，在我表演之前，不得不麻烦大家为我做一件小事，就是你们必须在这张魔术师契约上签字。阿呆，麻烦你……

魔术师契约

我＿＿＿＿＿＿＿(您的名字)保证不告诉任何人关于我在这里学到的魔术，就算他们给我很多很多的糖果，发誓永远帮我做作业，每个星期都把他们口袋里的钱给我，并且答应把他们长大以后挣到的所有的钱也给我。

啪！　　啪！

2

所有人都签好了吗？很好，现在让我们言归正传，你可以继续往下读，然后就会发现：

▶ 谁在表演中吞掉了一个骑马的武士？

▶ 魔术师是怎样让大象、飞机甚至楼房等整个儿消失的？

▶ 为什么某些魔术师更喜欢通过肢体接触来解读人的心思？

▶ 你怎样才能自己完成一场精彩的魔术表演？

但是，首先，还是让我们来搞明白怎样从古代观众的手里抢到杯子吧……

古代的小把戏

　　魔术师们第一次为古埃及的法老表演魔术，大概是在4500年以前了。（当然可能还有比他们更老的魔术师，但是无从考证啦。）我们之所以知道这些，全都归功于一本古埃及的笔记——韦斯加纸莎草*。它记录了一个名叫戴德的小伙子的故事。众所周知，他活了110岁（差不多和他的那些魔术一样神了），而且还可以让割断了头颅的动物再活过来。纸莎草上记载，他第一次这样做时用的是一只鹅，然后是一头牛。每次表演的时候，他都会念出一段咒语，然后那些动物的头就会重新连到自己的身体上并且活过来……

　　★ 如果你想亲自查一查韦斯加纸莎草的话，可以去德国柏林国家博物馆，它就陈列在那里。

　　事实上，没有人确切地知道戴德是怎么耍的把戏，或者他是否真的那样做过。要知道，其实有很多故事都是在吹牛皮。韦斯加纸莎草记录这件事的时候已经是1000年以后了，也就是说在空白的那一大段时间里，故事已经众说纷纭了。其实很有可能是这样，戴德只是表演了一个并没有那么悬的把戏，但是随着时间的推移，事情就被夸大了。也许撰写纸莎草的人也想让这个把戏看起来更吸引人。

魔术揭秘

戴德的断头接颈魔术

　　鹅睡觉的时候通常会把它们的头藏在翅膀下面，所以你可以给它们一个特殊的信号来训练它们这样做，这并不是很难。戴德可以假装挥刀向鹅头砍去，与此同时给鹅一个信号让它把头藏起来。

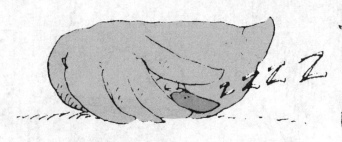

　　紧接着，他会把事先准备好的一个非常逼真的假鹅头拿出来，以让它滴着假血作为最后一幕。然后，他又假装把鹅头"装"回去，并且给鹅一个信号让它把头伸出来，最后趁人不注意时扔掉假鹅头。

和戴德差不多同时代的另一些人，也在利用魔术来吸引别人的眼球。埃及的神职人员和统治者们曾宣称自己拥有无边的法力，可以令神的雕像"讲话"。还可以让庙宇的门突然飞起来，他们会说这都是神的意愿。当然这是不可能的，但是却有那么多人相信他们。

继戴德之后，那些关于拥有奇异力量的魔术师们的故事传遍了整个古代世界：

1. 在公元1世纪的土耳其，一个名叫阿波罗的魔术师把一位贵族的婚宴以及在场的所有客人都变得无影无踪了。

2. 与此同时，在中东，一个表演者竟然能够凌空行走—— 一边走还一边改变自己衣服的颜色。

3. 公元800年，一个魔术师变出了一个花园，里面种满了各种花和树，那可是凭空出现的啊。他还把一个人切成了两半，之后

又将他恢复得完好如初。如果这还不够的话，他还曾吞掉了一个
骑着马的武士，一辆运干草的马车，包括驾车的人和所有拉车的
马。怎么样，印象够深刻了吧？

　　这些古代魔术师玩的把戏，很多已经随着时间的推移而销声
匿迹了，于是今天的魔术师就肩负着把它们找回来的重任。不过
有一个经典的魔术我们是知道的，因为它到现在还是很流行。这
个魔术开始于6000年以前，那时它就已经风靡了整个世界……

突然间，就像变魔术似的，每个人都在玩杯子和球的把戏。噢，好吧，可能不是古代世界的每个人都在玩，但是确实有很多人同一时期都在表演这个魔术。

人们发现的最早的关于杯子和球的魔术，被画在埃及贝尼哈桑的一个墓穴的墙上。据专家推断，它大概是在4000年以前画上去的。

然而，数千年来，这个魔术经久不衰——一位罗马政治家在公元1世纪时就曾提到过它，而到了6世纪，一位希腊作家也进行过同样的描述。大多数研究魔术的历史学家也都认为"杯子和球"的魔术是历史上最古老、最广为人知的魔术。

看吧！最古老最流行的球（和杯子）的魔术

这个魔术最原始的版本就是准备3个杯子和3个球，把球扣在杯子下面，掉换杯子的位置，然后让观众猜球在哪儿。当然啦，除非魔术师的水平太烂，一般来说，球通常都不在人们猜想的位置。有的时候，3个球会跑到同一个杯子下面；有的时候，两个球扣在一个杯子下面，第3个球扣在另一个杯子下面，还有一个杯子下面是空的。也有3个球同时消失，然后又从魔术师的口袋里冒出来的时候！

你一定很渴望知道这个简单的魔术是怎么完成的吧。没问题，女士们先生们，抛开你的烦恼，尽情地尖叫吧！这里就是格雷特·马奇迹……

接下来，你想知道怎么来玩杯子和球的魔术吗？好的，在开始之前，你需要3个杯子和4个，噢，是的，4个球。当然也可以揉4个纸团当球，如果你喜欢的话，没有问题。阿呆，麻烦你准备一下杯子！

首先，悄悄地把一个球塞进一个杯子中，一定要塞牢哦！然后，把所有的杯子摞起来，要保证藏了球的那个杯子在中间啊！

现在，你可以准备表演这个魔术了。

现在，你的面前只有3个球，迅速且熟练地将杯子倒扣在桌子上。切记在翻转的时候那个藏了球的杯子的杯口要稍稍朝向自己，这样才不会被观众看到那个球。

现在，拿起一个球，放在中间的杯子上，就是藏了球的那个杯子。

把旁边的两个杯子拿起来摞在中间那个杯子的上面。

口中念念有词：阿布瑞卡霍克斯布瑞斯多！然后把整摞杯子提起来。噢，太神奇了！看起来那个球居然穿透杯子掉到了桌子上！这可能是书上记载的最老的魔术了，但是观众仍然每一次都看得一头雾水。

　　这个版本的关于"球和杯子"的魔术应该是最简单的了，要想表演更难一些的版本，比如让球在你的嘴里或者是耳朵后面消失，你就需要知道一样东西——戏法。这是魔术中非常重要的一环，实际上这也就是戴德怎么扔掉假鹅头的关键。马上你就能学到它了……

魔术的技巧——戏法

　　这意味着要用你的手给观众制造一种假象，让他们认为你在做什么事，而实际上你在做另一件事。戏法中一个经典的例子就是法兰西式藏牌法。它是指魔术师把一个东西从一只手传到另一只手，而事实上这个东西根本就没动地方。我们用一个弹球来举例。

用右手拇指和食指捏住弹球。

左手的大拇指过去接近弹球，保持另4个手指在它的上方。

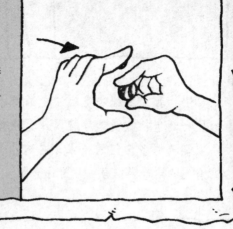

左手的大拇指和其他手指将弹球包围起来好像要抓住它一样，之后让弹球落回右手的手掌中。

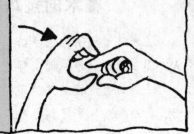

左手紧紧地攥成拳头并且迅速移开，制造出一种弹球被握在手心里的假象。

伸开左手给观众展示，"消失"了，而实际上它还在右手中。

弹球

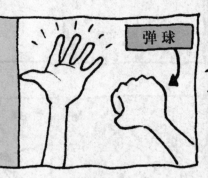

　　法兰西式藏牌法是戏法中最基本的一种技巧，其他的技巧还包括敏捷地移牌以及灵活地弯曲或旋转。这是一项需要许多窍门的技术，在这本书里——从纸牌特技到消失的硬币我们会一一为你介绍。

由于"杯子和球"与魔术联系得太紧密了，以至于在很多地方，"魔术师"这个名字的叫法实际上都来自这个魔术：

▶ 古罗马称魔术师为"acetabularius"（碟子），它来自拉丁文单词中的红酒杯或高脚杯。

▶ 在古希腊，人们用"psephopaikteo"（石子占卜）形容魔术师，这个词在希腊语中是用来形容小鹅卵石或者和杯子有关的活动的。

▶ 在法国，魔术师曾一度被称作"escamouteurs"（骗子），它出自法语单词中用来游戏的球。

在下一章里，你会发现不管他们被称作什么，魔术师们总是不断地成为最受欢迎或者最不受欢迎的一族……

魔术的进程

上溯到1300年之前，当时的欧洲人对魔术并没有太大的兴趣。但其后，文艺复兴从意大利开始了，这就意味着欧洲人开始对新事物和新思想变得感兴趣了。他们希望看到以前没有见过的东西——而魔术就是其中之一。在接下来的200年中，魔术师们开始在欧洲巡演，并且风靡一时。他们每到一个小镇，就把自己安置在一个小棚子或是帐篷里，然后召集一群人来看他们表演。

大吃一惊

在整个文艺复兴时期，魔术师们主要用球和硬币表演魔术，他们经常被称为"变戏法的"。

听起来是不是很不错、很有趣？可不幸的是，事实上并没有那么好。想想看，那个时候，国王、女王还有教会的头目都拥有至高无上的权力，他们当然不会喜欢让那些看起来具有超自然的、令人惊奇的力量的人威胁到自己的地位。因此，魔术师们经常被指控为巫师而被逮捕，投入大牢，然后处死。他们常常被处以绞刑或是被烧死、淹死。而且，一旦他们被指控，就很难申辩自己是无罪的。他们说的或者做的任何事情都被扭曲了，以至于他们看起来似乎已经承认了自己就是个巫师……

羊皮纸第4.1卷

由那些看起来具有神秘力量的人来回答……

你是个巫师吗？

1. 你会表演魔术吗？

是的，但是那是因为我是个魔术师。

差不多肯定是个巫师

2. 如果在问题1中你给予的是肯定答案，那么你是从哪里得到这种魔力的？

我想我之所以会玩这些把戏，正如我所说的，是因为我是个魔术师。我变魔术是为了娱乐观众，也是为了谋生呀。

非常像个巫师

3. 你能够把鹅的头砍下来然后再使它复生吗？

不能，但是我知道有的人可以。

有个巫师朋友，99%的可能他
也是个巫师……

4. 你是个巫师吗？

不是。

通常巫师都不承认自己是巫师！

5. 你不是巫师吗？

是的，呃，再让我想想，不是，噢不，等等，我是说是的。

就是他了，如果他不能肯定他不是个
巫师的话，那无疑他就是个巫师！

即使是那些有足够勇气表演魔术的魔术师，也往往由于被人指控而不得不使表演被迫中止。他们在得知消息后就会马上消失——我想你明白，这当然不是那种魔术中的消失，只是逃跑得非常非常迅速——并且会移居到另一个小镇，看看能在那里待多久。

大吃一惊

在15世纪，魔术师特瑞斯卡里努斯曾经令法国国王查理四世手指上的戒指自动脱落下来，并且悬浮在空中——不幸的是，不久他就被观众猛烈攻击，被迫承认是有恶魔的力量在相助。

第一本介绍魔术技巧的书

然而，直到15世纪末，一个曾经试图指控这些魔术师的法官——雷金纳德·斯科蒂，突然对那些神秘的魔术产生了浓厚的兴趣，甚至到了着魔的程度，以至于最终赢得了昔日一位表演者的支持，并且凭借着从卡特瑞斯那里学来的知识，写了一本书——《魔术之新发现》。（噢，不，他没有写错，15世纪的时候"魔术之新发现"这几个字就是这么写的。）

哦，原来如此啊！

这本书在1584年出版，其中有一章——《了解魔术的技巧》，就讲述了那时魔术的一些窍门。这是第一本介绍怎样变魔术的书，而且它讲述的很多原则还沿用至今呢。让我们看看书中讲的一些例子吧。

1. 把一个或多个球销毁。

换句话说，就是把一个球变没。根据书上所说的，你用左手拿住一个或几个球，假装把它们放到你的右手里，边放边念"咒语"。实际上，你要做的只是让球悄悄地掉到你衣服的褶子里。

当你打开你的左手时，人们看了后会猜球一定在你的右手里，然后当你打开右手时却什么都没有，他们一定会抓狂的！

2. 切下半个鼻子，然后不用任何药膏就能把它治好。

这个魔术是先切下你的半个鼻子，然后再把它复原得完美无缺。为了达到预期的效果，你需要一把特制的刀，就是在刀的中间弄出一个豁儿来，让它看上去就像已经割到了你的鼻子（如下图所示）。为了使这个骗局看起来更逼真一些，你还要再准备一把正常的刀，当你给观众展示的时候就趁机掉包，这样人们看到的就是一把血淋淋的真刀了。（血也可以是真的，鸡血或是猪血，只要不是你自己的就行了。）

3. 念个咒语让银币从罐子里跳出来或者离开桌面。

首先，你要知道银币是硬币的一种，所以这也就是让一个硬币跳出罐子或者离开桌面的魔术。真是让人觉得不可思议，不是吗？不过，你马上就会发现这一切都归功于在硬币上钻了一个很微小的孔，然后从孔中穿一根女人的黑色头发。（书上是这么说的，但是也可以用一根男人的头发，只要他的头发够长就行。）

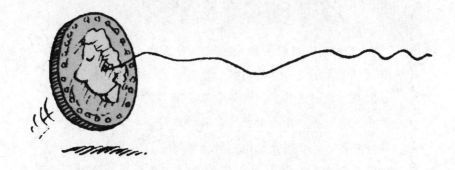

最重要的是，雷金纳德在最后一章中告诉人们，魔术事实上只是一种娱乐方式，是没有害处的消遣，并且肯定不是什么巫术。

大吃一惊

在亨利八世的宫殿里，曾经有一个叫布兰登的魔术师在地板上画了一只鸽子，然后在画的中间插了一把匕首。与此同时，一只站在墙头上的真鸽子竟然坠地身亡了！可怜的布兰登，国王觉得如果他可以对一只鸟这样做，那一定也可以对国王做出类似的事来，因此布兰登被终生禁止再表演魔术，如果他认为自己的生命还有价值的话。可想而知，当布兰登被亨利八世告知上面这些话时，他一定希望看到那把匕首插在国王的身上。

怎么样？很精彩的魔术吧？告诉你吧，斯科蒂的书里就揭示了这其中的奥秘。所有的魔术师都能做到。他们先去抓一只鸽子，训练它总是落在同一座墙上，然后给它服一种半个小时就能起效的毒药。剩下的事就是掌握好时间，在鸽子坠地的时候刚好把匕首插在画上。很简单吧？但若能运用恰当的语言并选择精确的时间点，就会使这个魔术变得非常具有轰动效果。

焚书惨案

现在，你可能会认为雷金纳德的书对魔术师们来说是个天大的好消息了，因为人们可以如此简单地把魔术当做一种娱乐方式。但是，很不幸，詹姆斯一世在1603年当上了英国的国王。他可是位不太热衷于巫术的国王，并且决定应该为此出台点儿什么对策。那么，他做了些什么呢？（顺便说一句，在前面有线索哦。）他是否：

（a）将所有看过雷金纳德书的人的双手砍掉？

（b）把雷金纳德打入地牢，然后在他的余生里只给他吃甲虫？

（c）下令收缴所有的书，并且烧毁？

（d）买下这本书的版权，希望在他统治期间有人能把它拍成电影？

哪有那么好的事，答案是（c）。啊！不过别太担心，还是……

有些好消息

今天的早些时候，我们至高无上的国王陛下下令要将那本极其可怕的书——《魔术之新发现》全部焚毁。

命令中说：任何拥有这本邪恶书籍的人都必须将其上交给政府，由政府立刻予以焚毁。

现在，接通我们的前站记者珀西·德·格里尔，他就在焚书现场……

谢谢你，卡斯伯特，今天早些时候，当国王刚一下达命令，政府就立刻把书堆成一堆，并且依照陛下的愿望把它们点燃……

但是，我可以告诉你，卡斯伯特，并不是所有的书都被烧毁了，一些人公然蔑视国王的命令，私自把书藏了起来，希望它们可以得到挽救……

是的，感谢上帝，还有一些书幸免于难，而且至今保存完好。但是如果你想随便走进一家当地的书店就能买到的话，我劝你还是别做梦了。这本书的原版书是在那次焚书之后，费尽周折才找到的，它们可能被卖到数千英镑一本。（但是你可以买到现在的版本，而且便宜得多啊。）那么，雷金纳德·斯科蒂的下场又如何呢？关于这一点并没有太多的记载，不过他极有可能也像他那一大堆书一样被烧死了。

引爆魔术界的艾萨克

你们听说过福克斯小子吗？他的真名其实叫艾萨克·福克斯。当然艾萨克从来没有试图炸毁什么，然而他却在17世纪初引爆了整个魔术界，就像给魔术界注射了一支兴奋剂一般。艾萨克·福克斯是第一个使魔术受到尊敬的人。他同样是从一个小镇跑到另一个小镇，不是因为被驱赶得四处乱跑，而是由于他太受欢迎不得不四处表演。他不仅在乡村集市的小棚子里表演，还在私人家里表演，足迹甚至遍及整个英国的大小剧院，而且没有一个人指控他是巫师。或者，说通俗点儿，没有人想把他弄死。

艾萨克一生工作都非常努力，经常一天演出6场。他的演出票价高达1先令（5个新便士），这帮他挣了一大笔钱。事实上，当他在1731年去世时，他挣了5万英镑，在那个时候可真是一笔不小的财富啊！艾萨克·福克斯成了那个时期最有名的魔术师。他的技艺超群，甚至可以让观众在离他很近的地方观看演出。在他们眼里，艾萨克可是一位鹰一般的人物。

下面就是他最著名的魔术——"能下蛋的袋子"，当时的广告是这样形容的：

他拿着一个空的袋子，把它放在桌子上，里外来回翻了几遍。然后，他竟然能从里面拿出100个鸡蛋和一大堆的金银珠宝。再之后，袋子开始膨胀。不一会儿，几只鸡便从里面钻了出来。

直到今天，魔术师们仍然把一些东西叫做"能下蛋的袋子"，其实就是在一个简单的布口袋里面再套一个暗藏的袋子。现如今，早已有了许多不同类型的"下蛋袋子"，那些顶尖的魔术师还会特制一些和他们的手大小相匹配的袋子呢！

艾萨克很有可能是用类似的方法来表演他的"能下蛋的袋子"魔术。他可以先给观众们展示一个空的口袋，然后用熟练的手法加上干扰观众视线的手段，最后让大家看见他从袋子里拿出了鸡蛋。

魔术的技巧——干扰观众的视线

这是一项非常重要的魔术技巧，你会在这本书中多次遇到它。魔术师们会利用它来转移观众的注意力，以方便自己做一些"见不得人"的事。以下就介绍其中的几种方法。

1. 空间转移　即让观众看着一个特定的位置，以保证你可以在另一个位置秘密地做一些其他事情。具体的方法如下：

▶　利用你的眼睛——如果你看着你的左手，那么观众也会看你的左手，这样你就可以用右手悄悄地做一些不为人知的事情了。

挖鼻孔确实不太雅观，你说呢？

▶ 利用你的手指——你的手指向哪里，观众就会往哪里看。

▶ 制造个噪声——观众会寻找噪声的来源，尤其是突如其来的噪声。

▶ 利用你的助手——如果你在表演过程中有个助手的话，他们就可以帮助你转移观众的注意力，而你则可以忙自己的事了。

2. *时间转移*　即让观众推测有什么事即将发生，而实际上这件事在此之前已经发生了。举个例子，如果观众认为你的手里会出现一个硬币，而此时你嘴里正念念有词，他们便会死盯着你的手。但是他们做梦也不会想到你早已把硬币偷偷地放在手里了。

　　有很多方法能够让你干扰观众的视线，不过这个问题我们一会儿再说。

　　继艾萨克之后，魔术表演越来越引人入胜，其规模也越来越大，堪称"魔术的时代"。但是有谁会想到动物魔术师们会成为这个舞台的中心呢……

令人惊骇的动物

　　追溯整个历史，魔术师们在其演出中都曾利用过动物——还记得戴德和他的鹅吗？还有布兰登的鸽子？今天，在齐格弗里德和罗伊的表演中，也运用了各种各样你能想象得到的动物。但是你知道吗？退回到17世纪，魔术史上最著名的动物可是自己表演魔术的！

会数数的马

　　"摩洛哥"是一匹漂亮的白马，它的主人是16世纪一位英国的表演者，名叫班克斯。"摩洛哥"通常是用敲打蹄子的方式来回答问题的，它最有名的魔术就是靠数骰子上的点数来告诉某人他兜里有多少零钱，或者说出一名观众的岁数。（班克斯很可能是在"摩洛哥"数到正确的数字时发出一个暗号，从而阻止了它再敲打蹄子。）"摩洛哥"还会随着音乐的节拍跳舞，表演算命和纸牌魔术。它实在是太聪明了，要是它能活到今天的话，一定是个大富翁！

我们可不想只给你一张50万英镑的支票……所以，摩洛哥，这是你能得到100万英镑的题目……

4913的立方根减去7，再除以5，最后再乘3等于多少？a）4，b）6，c）8，d）10。

嗒！嗒！
嗒！嗒！
嗒！嗒！

你确定了？不改了？

完全正确！祝贺你，摩洛哥！你赢得了100万英镑，你成了百万富翁了呀！！

大吃一惊

"摩洛哥"的名气太大了，它甚至在威廉·莎士比亚的名剧——《爱的徒劳》以及沃尔特·罗利爵士的《世界历史》中都被提到过。

瞒天过海

1608年，班克斯和"摩洛哥"打点好了一切，准备坐船横跨英吉利海峡，去欧洲游历。在法国，他们的名气大振，但是在奥尔良演出的时候，班克斯却被指控携有一只和恶魔勾结的动物。这和被指控为一名巫师没什么区别。正如你在刚才那一章中看到的，这实在不是什么好消息，但是你知道后来发生了什么吗？

（a）他们俩飞快地逃跑了。

（b）他们来到教堂前，"摩洛哥"不知从谁那儿拿来一个十字架，并且双膝下跪请求宽恕。

（c）"摩洛哥"害得班克斯被绞死了，从此开始了独自流浪的生涯。

（d）班克斯向教会解释这只是个魔术，并且向他们展示了他是怎么表演的。

答案

（b），由于"摩洛哥"的请求，教会把他们两个都放了，因为他们推断没有恶魔能靠近十字架。所以，班克斯和"摩洛哥"真是很幸运啊……但是他们只是暂时逃过了被油炸或是被烧死的厄运。

有些人说，继奥尔良之后，他们又去了罗马，在那里他们再一次被指控和恶魔勾结，这次是教皇亲自过问的，所以他们最终还是被活活烧死了。事实上，没有人真正知道后来发生了什么事，也可能他们离开了罗马，一路快马加鞭地逃回了家乡。

大吃一惊

到了17世纪，魔术舞台上又涌现出一大群有头脑的动物明星。其中有一只猪，它的主人是弗雷德里克·潘持别克。众所周知，他的这只有学问的小肥猪能够通过挑选数字或字母来回答问题。于是它迅速走红，甚至在全美巡演，并且在当时的美国总统约翰·亚当斯面前表演。这可真是一只招人喜爱的小猪啊！

33

关于兔子的魔术

"摩洛哥"这匹马在魔术史上也许是最出名的动物，但是当你想到动物和魔术时，最先闯到头脑里的动物是什么呢？

是的，没错啊！有什么关于兔子的魔术呢？

一只变成两只了。不过这可是个谜，目前还没有人知道：

（a）这个魔术是从哪个石头缝里蹦出来的，还有，是谁第一个表演它的？

（b）为什么它会变成魔术中最流行的一个？要知道这确实太难了呀。

但是我们的确知道（因为广告上写了他会做），在18世纪中期，有个叫约翰·亨利·安德森的魔术师曾经表演过这个魔术。不过他是以模仿别人著称的，所以他可能不是第一个表演这个魔术的人。然而，它毕竟出现了，那就让我们看看它是怎么被完成的吧。

帽子里蹦出兔子的魔术

1. 魔术师在舞台上放一张桌子，在靠近魔术师那边的桌沿上钉了个钩子。魔术刚开始的时候，兔子被藏在一个小袋子里挂在那个钩子上。（你看不见那个袋子，因为它被桌布挡住了。）

2. 魔术师先给观众展示一下空帽子，然后（这可是关键哦！）他需要闪电般地把兔子从袋子里掏出来并塞进帽子，且不被观众看见。这时，就得用上干扰观众视线的技巧了。

3. 兔子安全抵达帽子里之后，魔术师就可以把它拿出来跟各位炫耀了。

有一点很重要，那就是在表演这个魔术时，必须抓住兔子的后颈把它提起来。以前的魔术师都是提着它们的耳朵，这样做动物会觉得很疼，于是就会拼命地蹬腿。好可怜啊，可是在那个时候，魔术师们就有这种嗜好，因为这样可以为他们的表演增加刺激性和戏剧性的成分。

一条讨厌的法律

魔术师们和动物合作时必须要遵守严格的规定。1925年颁布的《演出动物（管理）规范》中指出，魔术师们如果打算在他们的表演中使用动物，就要到当地的政府注册，并且还要详细陈述他们会怎样利用这个动物。因此，如果你想用你可爱的宠物——仓鼠来表演的话，可要小心了。

一只狗的生活

直到19世纪早期，参加魔术表演的动物们都是按照规定被使用的。在那些成名的动物中有一只叫"美女"的混血狗，它是传说中的逃脱术表演者哈里·胡迪尼（关于他的更多故事请见126页）送给德国魔术师拉斐特的。

拉斐特是个很会吸引人眼球的表演者，他在那些让人难以置信的魔术中运用了大量的动物，当然也包括"美女"。在一个不寻常的魔术中——克莱姆瑟医生活体解剖魔术——拉斐特似乎把"美女"变成了一个怪物，它会突然攻击拉斐特甚至砍掉他的头！

更加难以置信的是，片刻之后，拉斐特的头又回到了原位，而"美女"也再一次回复到正常状态。这个魔术至今还是个谜。观众们超级喜欢这个魔术，尽管他们认为拉斐特铁定是疯了。

拉斐特与"美女"的生活方式和他们的演出一样出格。他们俩总是形影不离——"美女"可真是那个男人最好的朋友。下面就让我们瞧瞧他们出格到了什么疯狂的程度吧。

天下没有不散的筵席，"美女"和拉斐特的结局也不是那么圆满。1911年5月4日，"美女"永远地离开了他。毫无疑问，拉斐特也从此委靡不振了。

我失去了我最好的朋友，"美女"就是我的幸运星啊。我知道我也将不久于人世了，我们的生命已经不可挽回地连在一起了。

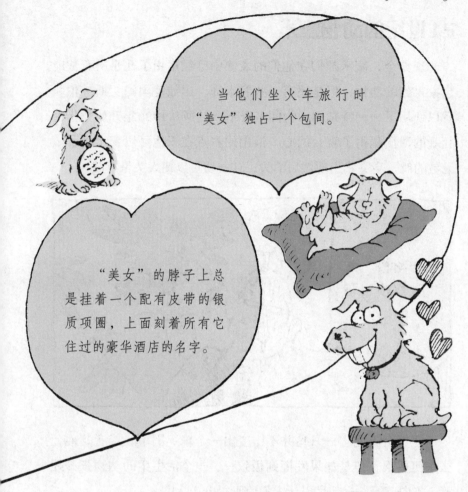

当他们坐火车旅行时"美女"独占一个包间。

"美女"的脖子上总是挂着一个配有皮带的银质项圈,上面刻着所有它住过的豪华酒店的名字。

　　令人毛骨悚然的是,他的预言变成了事实。5天之后,当拉斐特在一场演出之后谢幕时,舞台上一个东方式的灯笼突然着起火来,火势迅速蔓延,直到无法控制。那天晚上总共有9个人丧生,外加一头狮子和一匹马。拉斐特的尸体被烧得面目全非,并且是在剧院的地下室里被发现的。他和被用防腐药物保存的"美女"一起葬在了爱丁堡的某个公墓的地下灵堂里。毫无疑问,如果他在天有灵,一定会很高兴回到了"美女"的身边。

21世纪的动物魔术

现如今，魔术师们在他们的表演中已经运用了几乎所有你能想象得到的动物，但是还有一些魔术师，比如美国的兰斯·伯顿就以使用了一种特别的动物闻名天下。兰斯从1980年开始凭借他壮观的演出赢得了观众的心，演出的看点在于他可以变出鸽子。无数的鸽子会突然出现然后消失，这一切足以使人头晕目眩！

在舞台上变出一只鸟并不比变出一个球、围巾，或者其他什么东西更难，但是如果发挥到极致——一个活生生的动物张开翅膀，飞向蓝天——却足以让人们惊叹得合不上嘴。

魔术揭秘

大变活鸟

很显然，在舞台上变出鸟来，最关键的问题在于如何让鸟先保持安静。鸟类一般在黑暗的地方会比较乖，所以这是个办法，但是魔术师们通常还会用一个特殊的道具——在一个布套的一端安装一个金属线环。

参加演出的鸟事先被放进布套里，让它的头从一端伸出，尾巴从另一端伸出，然后两端都摁上尼龙搭扣，以达到固定的目的。

1. 在上台之前，魔术师要先把鸟藏在衣服口袋里。

2. 演出过程中，他会神不知鬼不觉地将一个手指伸进金属环，把已经被五花大绑的鸟拎出来，藏到事先准备好的手帕里，或者其他什么可以遮盖的东西里。（切记布套的颜色要和手帕的颜色一样。）做这些动作的同时，魔术师一般会做些其他吸引观众的举动，声东击西嘛！

是时候了！

3. 魔术师向观众们亮出手帕，做出一个先向下抖再向上扬的动作。一定要连贯哦！在向上的过程中把鸟放出来。

4. 在向下抖的过程中，魔术师会将一个手指塞进金属环里，然后在上扬的时候拉动金属环，用力抖开布套，让鸟飞出来。（在打开尼龙搭扣时，他可以制造一个小小的噪声来掩饰一下。）这个魔术的关键就是要让这部分动作看起来非常的连贯。

和动物一起演出也存在动物们特有的问题，不过并不是它们从不为在哪儿上厕所而发愁这一点。

在19世纪六七十年代，一个名叫哈里·小布莱克斯通的魔术师常常表演一个让骆驼消失的魔术。他通常先把骆驼关在一个帐篷里，然后拆掉帐篷向观众展示骆驼已经消失了。但是有一次，这个家伙从人造的假背景后面把头伸了出来，破坏了整场魔术——毫无疑问，这使哈里郁闷了好久。

第一个在演出中使用黑猩猩的魔术师是欧文·克拉克，他曾经表演过让黑猩猩从箱子里逃脱的魔术。但是很不幸，有一次他被迫中止了演出，因为黑猩猩贝蒂拒绝从箱子里出来，害得它的教练不得不跑到台上对它好言相劝。

德国魔术师齐格弗里德和罗伊几乎把整个动物园都搬上了舞台。他们的表演令美国拉斯维加斯的人们瞠目结舌了整整30年。这疯狂的演出包括了大象、狮子、老虎、鳄鱼、美洲豹、黑豹、老鹰、火烈鸟，甚至还有一个能喷火的金属怪物。他们可以让这些动物突然出现、变少甚至消失。当然啦，所有这些动物都是经过特殊训练的，所以才能在舞台上保持镇静，并且不会被闪亮的灯光、吵闹声和观众们的注视（这可能是最容易引起恐慌的）吓倒。但是，他们还是经历了一次极其危险的演出……

43

在一次演出中，一头狮子咬伤了齐格弗里德的手和胳膊。虽然他的伤口很快被缝合并且包扎好了，但是他们晚上还有另一场演出，而且正如各位所知，演出必须照常进行。结果在第二场演出的过程中，齐格弗里德的伤口崩开了，血不断地往外流。幸运的是，他的演出服和包扎绷带把大部分的血都吸收了，这样他才勉强完成了演出。但是演出结束之后，罗伊形容他的胳膊看起来就像"一块滴着血的生肉"。哇噢！

我们已经劝你为了生命安全不要和真正的动物合作，在这里，格雷特·马奇迹会向你展示一个和动物有关的魔术，它一定会让你的朋友开始怀疑你到底是不是人类……

嗨，大家好！大家好！我很高兴大家依然这么支持我们。现在，你们先要为这个魔术准备一沓纸、一支钢笔、一个信封，还有一个用来装纸的容器——盒子、帽子、篮子，什么都行啦。阿呆，请给我拿一个容器！

下面，让你的观众大声讲出动物的名字，任何他喜欢的动物，从蠹蜥到犀牛都可以。

当观众们大声喊出每一个动物的名字时，你就假装把它们统统记在纸上。但你实际上要做的只是写下第一个动物的名字，然后把这个动物写在每一张纸上。

当人们报出12个动物之后，将每一张纸叠起来，放进你的容器里。好了，现在你的篮子里已经有了12张纸，上面写着同一种动物的名字。但是你的观众却认为纸上写着12种不同的动物。

现在，告诉各位你将要请一位观众从篮子里抽出一张纸，而你可以预言这张纸上写的是什么动物。然后，做出集中精力思考的样子，在一张白纸上写出和刚才一样的动物名字。

将这张纸封在一个信封里，然后交给一名观众保管。

接下来，请另一位观众从篮子里随便抽出一张纸，打开来，念出上面写的动物名字。

这时，请刚才保管信封的那位观众把信封中的纸取出来，念出上面写的动物名字。难以置信的是，这位观众念出的，正是同一种动物啊！

好了，这就是你可以表演的动物魔术。现在到了跳出这个话题的时候了，咱们继续看看这本书其他的部分吧……

奇特的纸牌

在19世纪30年代的英国，一个年轻的业余魔术师想尽办法接近了著名的大卫·德文特，并且自夸懂得300种纸牌魔术。其实，他是想知道德文特懂得多少种。结果德文特狠狠瞪了这个青年一眼，然后回答了这个问题。

那么，你能猜出他是怎么说的吗？到底是哪个数？

答案

ⓓ8，这对于那些对纸牌魔术创造的奇迹感兴趣的人来说，可是个具有决定意义的消息啊。想想看，你只需要掌握数目有限的技巧就行了，当然更重要的是你怎么来表演。你的手要很快，反应要很快，脚要更快——当你露馅儿的时候好以最快的速度逃跑啊！在魔术师五花八门的技巧中，能发挥重要作用的道具之一就是一副纸牌。毕竟，52张纸牌外加两个爱搞笑的人，就已经为这难以置信的魔术增添了无穷无尽的悬念。

你想不想迷惑一次你的朋友，再和你的家人开个玩笑？那就放下手头的事情，赶紧为成为一个纸牌天才做些准备吧。

纸牌的诞生

自从中国人发明了造纸术以来，纸牌游戏已经流行了几个世纪了，所以说中国也是纸牌的发源地一点儿也不奇怪。然而直到13世纪，第一副纸牌才到达欧洲。虽然不知道是谁把它们引进的，不过很有可能是东征的十字军战士们从中东带回来的。

那个时候，社会分成4个阶层：教会、军队、商人和农民。当时玩的纸牌上就反映了这种社会阶层，并且被分成了4组图案：

杯子——
象征着教会

剑——
象征着军队

五角星——
象征着商人

棍子——
象征着农民

不过这种早些时候的纸牌并不太适合变魔术，因为……

1. 它们被印在非常厚的纸上，这样拿起来会很费劲。

2. 它们太大了。

3. 它们很昂贵。以前玩得起纸牌的人都是手里有着大把钞票的人。

直到15世纪，随着印刷成本的降低，那些小得多也便宜得多的纸牌才生产出来。当时时尚的"组合"也沿用至今——红桃、方块、梅花和黑桃。魔术师们为这种新式纸牌兴奋了好久，因为这些牌很适合手的大小，这样施展技巧的时候就更加得心应手了。

了不起的弗朗西丝科

大约就在那个时候，一个叫吉罗拉莫·科德诺的意大利人亲眼目睹了一个年轻的纸牌魔术师的精彩表演，他就是弗朗西丝科·索玛。据这个意大利人的描述，在弗朗西丝科的一个特别的魔术中，他先把一副牌倒扣着展开，然后让一名观众挑一张牌藏好。接着，他开始洗牌，并且不用看就能说出被拿出的那张牌是什么。之后，他再把被拿走的那张牌放回整副牌中，让另几位观众也依次选择一张牌，结果他们每个人挑出的都是原先被选出的那张牌。吉罗拉莫并没有描述弗朗西丝科到底是怎么耍的这个把戏，可能是那副牌里有鬼——没准儿每张牌都是一样的呢。不过，不管弗朗西丝科的秘诀是什么，吉罗拉莫对他的魔术都是赞不绝口——真是"没治了"。也许这对我们来说简单得不能再简单了，但是在那个时候，这可是非常新鲜和刺激的事儿啊！

魔术的技巧——助手和同伙

有的时候，魔术师们会选一名观众来协助他们完成一个纸牌魔术。然而，这可不总是随机的选择。其余的观众还被蒙在鼓里的时候，这个幸运儿已经开始"演戏"了，他将不露声色地协助魔术师来表演魔术。这就是传说中的"托儿"，他们经常为纸牌魔术师们服务，也在很多其他魔术表演中帮忙。

值得注意的纸牌魔术

几百年之后，人们对纸牌魔术的着迷开始像野火一样弥漫了整个欧洲。很快，在欧洲所有的沙龙和大餐厅里，人们都渴望看到纸牌魔术。顶尖的魔术师们可以订下一个大剧场，并且从观看他们演出的观众身上得到高额利润——同时，他们的魔术也变得更加绝妙。在17世纪：

▶ 一个为艾萨克·福克斯（还记得他吗？）的演出贴海报的人自夸他可以示范一个魔术，就是如何将一副牌高高地抛到天空，然后让它们自己变成一群活生生的小鸟。

▶ 一位名叫英格尔比的英国魔术师曾经让在座的一个人手握一副牌，并且默默地想一张自己中意的牌。当他想好之后，英格尔比便让他把整副牌都扔过来。就在牌全力冲过来时，英格尔比会毫不犹豫地用嘴叼住其中一张牌。让在座各位感到震惊的是，这张牌正是被那个人选中的那张。

▶ 在一次演出中，著名的意大利魔术大师派因迪让一位观众当场抽出一张牌，然后再放回去，之后洗牌。随即他掏出一把枪，向空中开了一枪。子弹嗖的一下越过舞台射进剧院的墙里。接着，嘘声一片，刚才那位观众选出的牌被钉在了墙上，而且那么寸，刚好就是被那颗子弹穿透钉上去的。有些人声称派因迪用的牌每张都是一样的，但是这依然没法解释枪击的那部分魔术。派因迪因此声名大振，而且在一次难得的机会中，他在法国路易十六和玛丽王后进行了表演。

那么，所有这些让人羡慕的魔术究竟是怎么完成的呢？其实纸牌魔术师们所拥有的共同特点就是刻苦地练习加上一套精心准备的手部动作。在我们看一些最知名的商业表演之前，还是让我们先了解一些基本的纸牌魔术技巧吧……

魔术的技巧

施加压力——让某个人选择一张特殊的牌，同时又要让他认为这是出于他自己的意愿。有时候，这是很简单的，只要让一副牌中的某一张比其他牌都稍稍突出一点。怎么样？听起来太容易了，有点失真？没关系，试试看好了！

藏牌——拿一张牌放在一只手中，不要让观众看见。不过如果你的手太小了也是个问题！你有没有在电视前近距离地观察过那些魔术师？你可能会在魔术表演的过程中或是结束时看到——他们的拳头紧紧地握着，那里面就藏着一张或是几张牌呢。

变换位置——把一张牌从一副牌中的一个位置变换到另一个位置，当然不能被观众看见——比如说从一副牌的中间变到最上面。

54

夸张的动作——做一些能吸引观众的动作。有些时候，这些动作只是为了制造效果，但是更多时候它们的目的是要把观众的注意力从你正在做的事情上转移开。举个例子，用一只手戏剧性地展开一副牌，同时悄悄地在另一只手里藏一张牌。这种夸张的动作就是个经典的干扰动作啊。

标记——在表演前或表演过程中，在某张牌上偷偷地做个标记，这样你可以很容易找到那张牌。你需要做的只是用钢笔做个很细微的记号或是把牌的一角稍稍弯一下而已。

假洗牌——看上去是在洗牌，而同时又要保证一张牌或几张牌在固定的位置不变。通常我们可以在一只手的手掌上快速地上下洗牌，有时候你就是可以制造这种洗牌的假象，而实际上没有一张牌的位置发生变化啊！

传说中的纸牌魔术

现在你已了解一些魔术的技巧了，是来看看这些世界顶级的纸牌魔术和发明它们的人的时候了……

1. 4A集合

内特·莱比锡是世界上最棒的魔术师之一。在19世纪初，他从瑞典一路火到了美国。他受欢迎的魔术之一就是请4位观众将4张A插到一副牌中的不同位置，当他从这副牌的最上面翻起4张牌时，刚好就是那4张A。它们居然奇迹般地升到整副牌的最上面！

内特最让人叫绝的魔术，是把两张被选中的牌放回整副牌后，开始洗牌。接下来，极富戏剧性的事发生了，内特用报纸把整副牌包起来，然后一手持刀，一手拿牌，用刀刺破报纸沿着牌的侧边插进去。不可思议的是，当把报纸剥去后，刀子就在那两张被选中的牌中间。要达到这种效果，内特应该是运用了假洗牌的技术，但是没人能证明啊。

2. 气功吸牌

18世纪晚期，霍华德·瑟斯顿发明了纸牌飘拂魔术——几张选出的牌从桌子上的一副牌上面慢慢飘拂到霍华德的手中。一些观众怀疑他一定使用了线，但是又没人看到过那些线。

3. 3张牌的魔术

这可是个经典的魔术。魔术师会向一位观众展示3张牌——通常其中的两张是黑色组合中的，第3张是红色皇后。魔术师会当着大家的面把"皇后"或者说王后放在那两张牌的中间，然后把这3张牌面朝下扣住。接着，请几位观众来打赌那张王后在哪儿，他们一般都猜不对，因为魔术师变了个戏法，让皇后消失了。人们因此会输掉他们下的赌注，而魔术师则小赚了一把。

我知道你一定会移动它们的，先生，但是在这之前，我要在那张牌上放5英镑。

啊？

4. 6张牌重现魔术

在19世纪初，英国魔术师艾利斯·斯坦约发明了惊人的6张牌重现魔术。虽然他自己并没有因此而提升了名气，但是到了19世纪30年代，美国的汤米·塔克却因这个魔术而成名。演出的时候，魔术师先手持6张纸牌，接着扔掉其中的3张，然后数一下魔术师手中剩下的纸牌，你很快会发现剩下的纸牌不是3张而是6张。在这个魔术中，魔术师极有可能是在手里藏了另外3张纸牌，而且逃过了观众敏锐的眼睛。

5. 游戏高手

19世纪魔术界最棒的奇观之一，是由天才的莱昂内尔·金创造的。他从观众中挑选4位，让他们坐在牌桌周围。然后拿出一副崭新的纸牌，揭去上面的封条，把牌发给他们开始玩一种叫惠斯特的游戏。之后，金移步到剧场的最后面，并且大声喊着为玩牌的人支招。尽管他绝对不可能看见牌面是什么，但是他仍然指挥着整盘游戏，就好像他能看见每个人的牌一样。

很多观众一口咬定玩牌的人中有一个是金的助手，而且一定用了什么方法让他知道了每个人手里的牌，但是口说无凭啊。

6. 双色列队

第二次世界大战中期的一个夜晚，英国首相温斯顿·丘吉尔竟被一些纸牌魔术完全唬住了。一个名叫哈里·格林的魔术师向丘吉尔展示了一个叫"远离这个世界"的魔术。

只见哈里·格林手拿一张红牌和一张黑牌，并把它们面朝上放好，之间距离几厘米远。然后，他把剩下的牌交给丘吉尔，并且告诉首相要把剩下的每一张牌面朝下按颜色不同分别放在红牌或者黑牌上。丘吉尔不可以看任何一张牌，但是他可以"想象"它们是红的或是黑的。

丘吉尔想，要把所有的红色和黑色的牌放到正确的位置上，而又不看着它们，这简直是做梦呢。当他放好第50张牌后，哈里·格林得意扬扬地拿起两摆牌展示，结果发现所有红色的牌都在红牌那摆里，而所有黑色的牌也都在黑牌那摆里。丘吉尔大为震惊，他要求哈里·格林又重复了好几遍，直到深夜。

这个了不起的魔术的基础理论之一，就是哈

里·格林在手里藏了两摞牌——一摞红牌和一摞黑牌。当他拿起丘吉尔放好的牌时就趁机掉包换成了事先准备好、藏在手里的那些牌。

街头布莱恩

著名的街头魔术师大卫·布莱恩最出色的保留节目包括两个超级精彩的纸牌魔术。其中之一是他从群众中请出一位来选一张牌，而自己把脸转过去，并且让这位过路者在电视摄像机前展示一下这张牌，然后再放回整副牌中。接着，魔术师立即把这副牌朝一家商店的窗子扔去，所有的牌都落在了地上，除了那一张——你可能已经猜到了——就是刚刚被选中的牌。那张牌竟被粘在了商店的玻璃上。如果你认为这就够奇怪的了，那还有更离奇的呢，因为这张牌并不是粘在了玻璃的外面，而是粘在了玻璃的里面！

他的另一个魔术则是请某个人选一张牌然后再放回去，随后他会告诉这个人那张牌就在他的脚下。这个人看看他的鞋下面，什么也没有啊，于是大卫·布莱恩又让他把鞋脱下来。这回没错了，那张牌就在鞋里！

在他的魔术中，大卫·布莱恩从来没有说漏过嘴，但是还是有很多人坚持认为他一定有助手帮忙来制造那些不寻常的假象。

所有这些纸牌魔术使你产生表演的欲望了吗？没问题！格雷特·马奇迹只需用他的一小部分力量就能帮你达成愿望。

一杯盐溶液

这个有趣的魔术需要你准备的只是一副牌，一根魔术短棒——如果你没有的话，用铅笔代替也可以——一张桌子和几粒家庭用的盐。阿呆，请把盐拿过来！

我说的是"几粒盐"，阿呆！

选一名观众上来，让他从你手里的牌中挑一张出来，记住它，并且让他自己保存一会儿。

嗯……

告诉这名观众他必须要切牌，然后把两摞牌面朝下放在你前面的桌子上。

指着其中一摞牌，并让他把刚才选中的那张牌面朝下放在这摞牌的最上面。

尽可能小心地将几粒盐秘密地撒在那张被选中的牌上面，这时你可以耍一个练习得炉火纯青的夸张动作，来吸引你的观众。然后把另一摞牌放在上面，合成一副牌放在一只手里。

用你的魔术棒（或者铅笔）轻轻敲一下纸牌，告诉你的观众，你将要奇迹般地在被选中的牌那里将整副牌分开。

煞有介事地念一句魔术咒语——卡迪舍斯！在你放开牌的时候，温柔地在最上面敲一下，那几粒盐就会使上面那半摞牌滑下来。然后，你就可以把下面那一半的最上面一张翻过来。当然啦，这肯定就是被选中的那张牌啊。

那个选牌的人一定会高兴到尖叫的，所有的观众也会欢呼到嗓子嘶哑的，你该怎么做呢？深深地鞠一个躬，当然千万不要让别人看到那几粒盐啊。

双重骗局

近代的美国表演者佩恩和特勒曾一度轰动了整个魔术界，因为他们向电视机前的观众们揭示了他们究竟玩了多少把戏。但是有一次，他们搞了一个双重骗局。那一次，佩恩站在大街上，拦住一位过路人，请他从一副牌中抽一张出来，而佩恩自己却没有看。之后，他把剩下的牌展开来，突然大声说出了被抽出的那张牌是什么。

魔术揭秘

佩恩和特勒的纸牌魔术

特勒坐在演播室里，向正在收看节目的成千上万名观众解释，其实他是通过操作一台特殊的照相机来帮助佩恩找到丢掉的那张牌的。他说，那台照相机研究了一下佩恩手里那些展开的牌，立即就能挑出哪张牌不见了。然后特勒会把这个消息通过麦克风传给那一端戴着耳机的佩恩，所以佩恩才能那么确定地宣布丢失的牌是哪张。于是，电视观众们对这个聪明的表演留下了深刻的印象，但是这可是个天大的谎言啊。

佩恩

特勒

他们究竟是怎么做的呢？

根本没有什么特殊的照相机研究展开的纸牌。佩恩只是单纯地"强迫"那位毫无戒心的过路者抽了一张牌，所以他自始至终都知道那张牌是什么。这不过是和电视机前的观众们开了个玩笑，他们都相信了特勒那个精巧的现代玩意儿，而实际上，佩恩不过是要了一个书上记载的很古老的把戏。当然，到最后，他们还是告诉观众所有的事实——就像他们告诉其他那些愤怒的魔术师一样。

　　要想成为一名顶级的魔术师，你需要日复一日的辛勤工作和一心一意的刻苦练习。但是如果你确实攻破它了，那就没有什么比看见观众被一个完美的纸牌魔术惊呆的表情更让你满意的了。记住，就像在这一章开始时大卫·德文特说的那样，你只需要8种最基本的纸牌魔术就能完成一台精彩的表演……

激动人心的消失术

消失术无疑是每一个魔术师保留剧目中最精彩的一章。几个世纪以来，让什么东西凭空消失一直令观众们感到困惑和迷茫，但是直到16世纪，消失术才真的达到了一次飞跃，这主要归功于一个叫装饰口盖的东西……

所谓装饰口盖，就是指用来遮盖男人马裤两腿分岔处的一大块布。观众们一致相信魔术师变没的东西实际上就藏在他的装饰口盖里。

早知道我不该让那只刺猬消失的！

到了17世纪，魔术师在表演消失术时开始使用桌子。这种可以折叠的桌子装了一个很小的隐秘口袋，大家亲切地称它为仆人。魔术师们因此可以把这个袋子拉上来再推下去而不会被观众发现，最重要的是这个袋子是藏东西的绝佳选择。

一会儿出现，一会儿消失

消失术开始变得越来越流行，到了18世纪，魔术师们已经可以大变活人而不仅仅是东西了。他们能够设计出更多巧妙又富有创造性的方法来愚弄观众。下面就是一些例子：

魔法轿子

在这个表演中，4个男人把一顶轿子抬到舞台上，轿子里面，一个女人舒服地躺在一个小小的华盖下面。这时，一名助手走上前来，把这个女人四周的帘子放了下来。过了一会儿，助手又把帘子拉了回去，令观众惊奇的是，那个女人已经不见了。

魔法秘诀——那个华盖的图案画得非常高明，令它看上去比实际上小了很多。当帘子拉上的时候，那个女人就爬到了华盖里，等到帘子再拉开的时候，她已经静静地躺在那里了。

消失的女人

这也是个绝技啊！魔术师先在舞台的地板上放一张报纸，一个女人被一块布幔挡着坐在一把椅子上，而椅子恰好又在那张报纸的上面。接着，魔术师会抓住那块布幔，随着一个突然的动作他把布幔拉了起来，结果那个女人已经消失了。

　　魔法秘诀——报纸上早就剪好了一个特殊的洞，这个洞刚好和舞台上的暗门对着，报纸就放在这个暗门的上面。当魔术师抓住那块布幔的时候，女演员就可以穿过报纸上的洞，再穿过暗门爬下去。如果需要的话，她还可以再次出现的。其实，魔术师还有一张没有剪过的报纸在手里，在表演结束前用来展示给观众，同时把那张剪过的报纸悄悄地藏起来。

"嗜人"的镜子

　　一个人背对着观众站在一面镜子前，魔术师用一块布把他和那面镜子一起盖住，然后告诉观众很快这个人就会消失。接着，魔术师就会把布拉开，结果那个人真的不见了。

　　魔法秘诀——那面镜子其实被做了手脚——它的下面事先做成了一个活板。当那个人一被布盖住后，可以活动的那一块镜子就被后台的助手撬起，以便让那个人的脚先从活板下面伸出去。有了这个高明的装置，这个人还可以再次出现在舞台上。

　　怎么样？你觉得你能让一个东西消失吗？要我说，你一定行！现在，你所需要做的就是让一名观众相信你，其他照旧交给格雷特·马奇迹，他会帮你的。

在这个表演中，你所需要的只是一枚小小的硬币，一个火柴盒和一把刀子。噢，记住要由大人帮你拿着刀子。

让大人帮你在火柴盒抽屉的一端切3个小口，就像这样子。通过这个方法，你就在火柴盒上制造了一个活门。阿呆已经帮我把这个任务完成了。

干得好，阿呆！现在，把火柴盒的小抽屉放回火柴盒外套里。

一切就绪了，你可以一只手拿着火柴盒，另一只手拿着硬币，这样观众就可以同时看见它们。然后，告诉大家你要让硬币消失。

从火柴盒没有割口的那一端打开小抽屉，让所有的观众都看见你把硬币放了进去，然后关上小抽屉，不停晃动火柴盒让大家听到硬币确实就在里面。

现在，小心翼翼地将你的手从观众的视线中移开，同时让硬币从小抽屉被割口那端滑出。这是整个魔术中最关键的环节，所以一定要反复地练习，不断地练习，直到你能做到天衣无缝。当你用手接住硬币后，牢牢地抓住它，并且确定活门已经关上了。你可以让你的大拇指来帮这个忙。

接着，戏剧性地用你那只闲着的手将火柴盒接过来，并高高举在空中。在你进行上述动作时，悄悄地用另一只手将硬币塞进衣服口袋里。嘴也别闲着——来也匆匆，去也匆匆——同时摇动火柴盒。

掉下来的硬币

这一定难坏了观众，因为他们听不到任何硬币跳动的声音。这时，缓缓地，从没有割口的那端推开小抽屉，向观众展示已经空空如也的火柴盒。是你让硬币消失的呀！

如果你想做得更聪明些，你可以让硬币再次出现。这并不难，只要用一个经典的干扰技巧——你可以说这个火柴盒已经完成它的使命了，在空中摇一摇，然后越过你的肩头，向后随手一抛。

当观众们聚精会神地看你扔掉火柴盒时，迅速地用另一只手将口袋里的硬币拿出来。拿好了，别让任何人看见！剩下的就由你来决定这枚硬币应该从哪儿再冒出来。你可以走到观众席上，然后假装从他们的耳朵后面把硬币拉出来，或者从书架上够一本书下来，然后把硬币从那里拿出来。

凯旋的消失者

现如今，魔术师们已经变得越来越野心勃勃了，他们仿佛能够让任何东西消失，不管这个东西有多大、有多么难以消失。下面，就来看看这些最庞大最一流的魔术表演吧……

▶ 最让人难以置信的消失术大概应是美国的超级巨星魔术师大卫·科波菲尔在1981年表演的，那一次他竟让一架飞机消失了。（一些魔术师可能会为这是不是最令人难以置信的消失术而产生争论，但毕竟以前从没有人试图做过任何类似的事情，而且从那以后，人们便大规模地开始了让巨大的东西消失这一疯狂举动。）

正如成千上万的观众在电视上看到的那样，大卫拥有一大群志愿者，他们在飞机四周围成一个圈，手拉着手。（你同样会在这本书的其他地方看到，有许多相信科波菲尔的"志愿者"真的参与了演出。）之后，这些人又被一些巨大的屏风包围起来。但是，魔术师和他的团队聪明地利用了光反射的原理，使电视机前的观众们仍然可以看到飞机的轮廓。随着富有戏剧性而又响亮的音乐声响起，人们的嘈杂声被淹没，大卫的助手们把飞机运走了，当他帅气地一挥手，屏风应声而开，令电视机前的观众们瞠目结舌的是，飞机不见了。

▶ 1985年，魔术师迈耶·叶迪德出现在保罗·丹尼尔在英国的魔术表演中，并且神奇地将自己的手指头变没了。

▶ 保罗·丹尼尔也献上了一个精彩的魔术表演，他把一个正在摄制他表演的摄像机变没了，这可吓坏了在场的其他摄影师！

▶ 1986年，魔术看台（一个英国的魔术团体，很多世界顶级魔术师都归于它旗下）的主席大卫·博格拉斯请来两名护士为他号脉。她们就那样一直抓着他的手腕，但是却始终找不到他的脉搏。

73

▶ 齐格弗里德和罗伊最著名的魔术之一就是让一头大象消失，那可不是一个象宝宝玩具，而是一头真正的、活生生的成年大象啊！让人们感到最为震撼的是这一切发生的速度——就在大象走进箱子的那一刻，它就消失了。可想而知，这个魔术也一定让那头大象终生难忘吧！

▶ 1994年，弗朗兹·哈瑞创造了一个比大卫·科波菲尔更棒的奇迹——他让美国太空总署的宇宙飞船探测器消失了。当然啦，如果他不还回来的话，美国太空总署是不会高兴的，所以没过多大一会儿，他就又把它变回来了！

……我很期待下一次魔术表演哦！

表演这种让人大为惊异的魔术通常都是非常保密的，魔术师们有的时候甚至会让他们的助手签协议，保证他们不告诉任何人。但是，如果你发誓守口如瓶的话，我们也可以向你透露一些其中的奥秘。

魔术揭秘

让非常大的东西消失

1. 通常，魔术师会先展示即将要消失的东西……

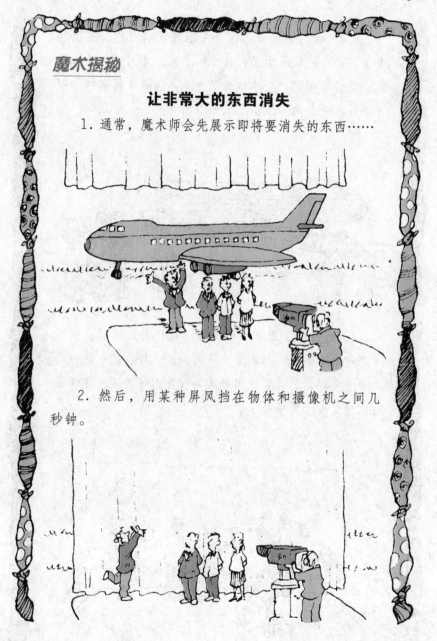

　　2. 然后，用某种屏风挡在物体和摄像机之间几秒钟。

3. 之后，撤掉屏风，令人难以置信的是，东西消失了。那么到底发生了什么呢？原来，魔术师、屏风还有摄像机都在同一个移动的平台上，当屏风挡在物体前面以后，平台向一边移了几米。

4. 摄像机、魔术师和屏风都在移动的同时，我们并没有意识到这一切的发生，因此，这给我们一种他们根本没有移动的错觉。当屏风再被升起的时候，你的面前已经变得干干净净了。

5. 有的时候，一些现场的观众会为这个壮举作证，但是，他们通常也都是在演戏。

如果这些魔术师继续拿更大更棒的消失术来刺激我们的神经，谁知道还会发生什么呢？

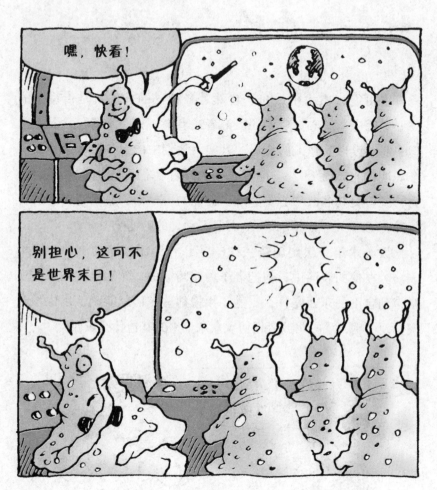

故弄玄虚的"心灵感应"

很可能，魔术中最超乎自然、最神秘的一种就是传说中的"心灵感应"。心灵魔术的表演者或者说"猜心术者"，看上去似乎能够读懂其他人的心思。其实，他们中的大多数都只是耍了个聪明的把戏而已，但也有一些人声称他们确实拥有读心的能力，或者美其名曰"心灵感应"的能力。然而猜心术者真的拥有特异功能吗？继续往下读吧，并且开动你的脑筋……

读心术第一次出现是在1784年，作为派因迪的一部分魔术表演。在他的表演中，他把妻子的眼睛蒙住，然后让她确认被观众带到台上的东西是什么。她不用摸那些东西就能确认出像手表啊，硬币啊，手帕啊或者任何观众拿上来的其他什么东西。

派因迪的这个魔术至今还保留着它的神秘性，但是很有可能他和他的妻子使用了一些暗号来辨认不同的东西，就像下面这一对夫妇……

一词多意

朱利叶斯·赞克吉和他的妻子艾格丽丝活跃于18世纪晚期到19世纪早期的魔术舞台上，他们宣传自己是"两个头脑一种思想"。在表演中，艾格丽丝从朱利叶斯的思想中读出那些关于观众的信息。观众们对此大为不解，并且惊讶地发现这看上去就像令人难以置信的心灵感应一样，但实际上，朱利叶斯和艾格丽丝用的是一套很复杂的密码字……

魔术揭秘

赞克吉的读心术

在赞克吉的密码中，一个单词可以含有很多不同的意思。比如，词语"请"有7个不同的意思，分别代表字母F、6月、数字6、一个邮局的工人、星期五、名字弗兰克或弗朗西斯，还有一封电报或信。

举个例子，如果朱利叶斯说："我拿着一位先生给我的东西，请告诉我他的名字。"然后，艾格丽丝就会知道这个人的名字叫弗兰克。类似的，词语"但是"的意思包括字母S、数字19和烟斗通条。单词"给"有手表和数字9的意思。所以，如果朱利叶斯说：

请您告诉我，鲍伯的名字是……

鲍伯

"但是，请给出我拿着的3个物品的名字。"艾格丽丝就会明白他拿着的是一个烟斗通条、一封信和一块表。朱利叶斯来自丹麦——所以如果他的话听起来有些古怪，那么观众们只会认为那一定是他说话带丹麦腔的缘故。好了，如果朱利叶斯说："请，但是，请给出这张纸上的数字。"那么，他想告诉艾格丽丝的是什么数字呢？现在你知道他们的密码了，你应该能得出答案吧。

答案：*61969*

派因迪夫妇和赞克吉夫妇都是搭档表演心灵感应魔术的，但观众们事后很快就破解了很多他们的密码。那么，他们就必须寻找一些新的、真正让人难以置信的东西来征服观众了。到了19世纪20年代，一个魔术师突然出现在银幕上，他可以自己表演心灵感应的魔术——不用任何助手帮忙。

美国读心术之父约瑟夫·邓宁格

自称为美国读心术之父的约瑟夫·邓宁格曾经上演了一场宏大而又神秘的魔术。那是在1920年，在波士顿的演出中，他请来5位观众在纸上写下一些单词，接着由助手把这些纸收起来放到一个信封里。为了保险起见，那个助手把信封放在地板上用脚踩着。接下来，约瑟夫高度集中精神，一字不差地猜出了每张纸上的单词。

约瑟夫不仅是一位让人惊叹的读心术表演者，同时还非常擅长为自己赢得公众的关注，他在面对棘手的问题时经常会用魔术来化险为夷。

有一次，约瑟夫的车被偷了，当他报警时，警察笑话他说："为什么你不直接告诉我们谁偷了你的车，还有现在车在哪儿呢？"约瑟夫略微思索了一会儿，然后告诉警察说他不知道谁偷了车，但是他知道车在约克维尔（纽约市的一个区）。难以置信的是，当警察在约克维尔寻找时，他们竟然发现约瑟夫的车撞在一根柱子上。一些人认为是约瑟夫制造的这一切，并且自己把车开到那儿。但是，当警察找到那辆车的时候，他们同时也在车里找到了专业的偷车贼罗伯特·坎宁安。可能他也有些心灵感应吧。

很快，约瑟夫就成为了一名非常成功的魔术师，先是上广播电台，然后是上电视台，他的表演在全美的3个频道同时播出。他的表演长期以来能吸引人们，用他自己的话说是因为有"非凡的大脑"。

约瑟夫能够读出电视节目演播室外的人们的思想。实际上，不止是在演播室外面，他可以随便在什么地方这样做——深海里的潜水艇中或者飞入云霄的飞机上。在一次演出中，他甚至通过读出美国国家珠宝交易所的两名警卫的思想，打开了一个锁着的保险箱，而那两名警卫每个人只知道一半的密码。（在演出中，他们可没有心灵感应呀。）

读出他的心思

　　约瑟夫的魔术流行一时，以至于很多魔术商店开始兜售他们自己编造的约瑟夫的魔术秘籍。不幸的是，那些商店没有得到约瑟夫的许可，所以到了1927年，在一本叫做《科学与发明》的杂志上，他写道：

　　　　很多经营魔术器具的经销商声称那就是我使用的方法，并因此从消费者身上获得了暴利。为了证明他们的错误，我将立刻透露给大家真正的方法。

　　接着，他就详细地描述了他是怎么完成这个魔术的……

魔术揭秘

约瑟夫的信封魔术

1. 首先，约瑟夫的助手把纸发给几位观众。

2. 接着，约瑟夫让这几位观众在纸上写一些信息，比如他们的名字、住址或是生日什么的，然后再让他们把纸折起来，并且多折几下，这样他们写的东西才不会被看到。

3. 接下来，约瑟夫和他的助手会把观众的纸片放进信封里。

4. 就在把纸片递给约瑟夫或者他的助手的时候，这些纸被藏在了手里，取而代之的是一些空白的纸片，而最终就是这些空白的纸片被放进了信封里。

5. 然后运用一个巧妙的干扰技巧，悄悄地看一下藏在手里的纸片，这样在后面的演出中，就可以告诉观众们纸片上的信息了。

除了这一次，约瑟夫从没有揭示过他惊人的能力背后的任何秘密，但是他对此却做过一些似是而非的评论。有一次，他说："任何一个12岁的孩子都可以做到我所做到的事情，只要他们苦练30年。"他还把他自己所做的一切称为"通天眼"，并且说："你能从另一个人的头脑中获得一个清晰的意念和其他继之而来的东西和暗示。但是这并不是读心术，而只是读思想。"糊涂了吧？这可能正是约瑟夫想制造的效果……

耐人寻味的心思

继约瑟夫之后，一大群读心术魔术师宣称他们确实懂得心灵感应——特别是皮丁顿夫妇等丈夫和妻子共同表演的人，他们看上去能够在距离很远的情况下相互传递信息。在1949年的一次表演中，莱斯利·皮丁顿被锁在伦敦塔上，而她的丈夫西德尼竟能从老远的电视节目演播室中向她传递信息。很神秘吧，他们从不解释是怎么耍的把戏，而且每次结束时都会说："是不是心灵感应呢？你才是见证人！"

在一些读心术的表演中，信息是在志愿者给出答案之后，才由魔术师揭示的。比如说，魔术师在一张纸上写下一些东西，然后把纸放到信封里。之后，他让一名观众想想他们家猫咪的名字。接着，魔术师会十分努力地集中精神想一会儿，随后让这名观众说出他们家猫咪的名字，然后他再撕开信封，向大家展示写在纸上的名字——正是那只猫咪的名字。

这种情况下，魔术师有可能是使用了一个"袖珍记录器"……

魔术中的技巧——袖珍记录器

1. 袖珍记录器就是固定在手指上的一个非常细小的环。在这个指环的一侧有一段更加细小的铅笔芯甚至是一支真正的、如假包换的迷你钢笔。

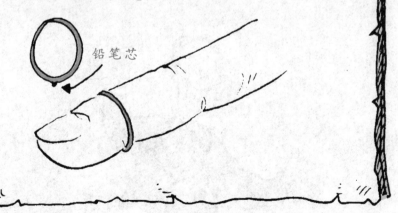

铅笔芯

2. 一旦某个观众说出他的秘密信息，比如他们家猫咪的名字，魔术师就会借助转移大家注意力的机会，悄悄地、迅速地用袖珍记录笔将猫咪的名字写在第二张纸上，而这张纸就藏在信封的后面。

3. 魔术师随后便撕开信封，假装从里面拿出那张纸。事实上，他拿的是自己写的那第二张纸（也就是藏在信封后面的那张），并且把这张纸展示给观众。同时，他会把信封揉成一团（连同原先放进去的那张纸）扔掉。

接触读心术

读心术中还有一种被称为接触读心术。这门技术的关键在于表演者必须要和被读心的人有一定的身体接触，通常是手握着手，也可以是手搭在肩上，甚至是双方各拿着手帕的一端。

第一个把接触读心术搬上舞台的人是18世纪末的约翰·兰德尔·布朗。他声称自己是在玩藏手帕的游戏时发现这种技术的——可能是他和那个藏手帕的人握手后，每次都能找到手帕。不过，我敢打赌，他不会这么无聊的！

在布朗的表演中，他会请一位观众把一枚别针任意藏在剧院里的某一个角落——比如鞋子里，椅子下面或者女士卫生间里都可以。

不管藏在哪儿，布朗都可以只通过握着藏东西的那个人的手，并且不用说一个字，就把他带到别针的旁边。

就在前不久，一个匈牙利的接触读心术魔术师弗朗兹·J·波尔加把这种技术又向前推进了一步。他能够找到藏在纽约帝国大厦某处的一个很小的银质钞票夹，那可是一座102层的建筑啊，你能想象怎么找到它吗？简直就是大海捞针啊！

波尔加通过和观众玩一个藏猫猫的风险游戏来完成他的演出——所谓的风险，是因为被藏起来的东西是他的薪酬。如果他找不到，他就只能分文不拿地离开剧院。在那几年里，观众乐此不疲地将波尔加的钱夹藏在各种稀奇古怪的地方——用一个网球封住的被挖空的鞋跟里……他们甚至把钱藏在警察的枪筒里，但是波尔加总是能找回来。

你能把我的桌子变出来吗？我正打算在这儿办公！

魔术揭秘

接触读心术

接触读心术中的一些秘密最终被著名的、获得过诺贝尔奖的物理学家理查德·费曼所揭示。在他的传记中曾提到当他还是个小孩子的时候，有幸目睹了一个读心术表演者在他住的小镇某处找到了被藏起来的5

美元钞票。那个读心术表演者握着藏钞票的那个人的手，穿过整个小镇，"读透他的心思"。最后，他在某个人家中的抽屉里找到了那5美元。后来，理查德的父亲请这位魔术师讲述了他是怎么做的。下面就是他的秘籍。

那位魔术师解释说，你可以放松地握住他们的手，走动时，还可以让手轻轻地摆动。当你走到一个十字路口时，手略微往左边摆，如果那个方向不对，你就会感觉到明显的阻力，因为他们不希望你走那条路。但假如你选择了正确的方向，他们会认为你有能力那样做，于是就会顺着你走，而你也不会感觉到任何阻力。所以，你必须保证让手一直有一些晃动，这样就可以试出捷径了。

如果你想体验一下的话，最好让那个被你读心的人站在你的左后方大概一步远的地方。好了，祝你好运！

心灵感应新说

今天的读心术仍然像过去一样流行且仍有争议。在以色列出生的乌力·杰勒就是当今表演读心术的魔术师之一，而且他声称用自己的意识就可以进行演出。他的拿手好戏是靠他所谓的"意志力"——一种靠意识来移动或影响事物的能力，比如将一把勺子弄弯。

　　乌力还非常擅长让人们的手表或者挂钟没来由地停止或启动。通常，当他出现在电视上时，正在看电视的人就会发现已经坏掉多年的钟突然又能正常报时了。乌力还可以表演读心术，他曾经试图运用绝对意志力量来影响一些事情，诸如足球赛的结果什么的。他真的这么做了！在一场盛大的国际比赛之前，他把一块据他说已经被赋予了巨大能量的水晶放到了球门里。他还让人们一边触摸出现在电视屏幕上的球，一边默默想着他们心中能取胜的球队。不幸的是，这些尝试并非每次都能成功的。但是他说这就是他的"力量"！

如果你们认为我是个冒牌货，我也不会太在意。30年来，我不断证实着自己的能力，看看那些被弄弯的勺子——至少有11 000把了。我已经习惯了那些怀疑论者（不相信他的能力的人们）。许多人宁愿叫我骗子也不肯承认他们对超自然能力的错误观念。

　　然而，魔术师们说乌力的那些把戏他们都可以通过魔术技巧做到，而且勺子弯曲效应在乌力·杰勒的公开表演之前就已

经被登在魔术杂志《胡言乱语》上了。实际上，甚至有一本名为《杰勒主义》的书，作者是本·哈里斯，据说解读了他的所有把戏。

另一位闻名当今世界的心灵魔术大师就是马克斯·莫万。他曾一度被描述为"魔术界最原始的意识"，并且被列为魔术界最具影响力的100人之一。他自称能够说出一个人正在想什么，不论他讲何种语言。

马克斯·莫万并不惧怕使用现代手段，而且已经创造出许多交互式的效果，这其中包括使用一个叫做"最大的莫万"的20厘米高的男巫自画像，来为观众们表演读心术。

我们所了解的全部关于马克斯·莫万的绝活儿，就是他非常绝妙的心理技巧，这帮助他"走进了人们的大脑"。

现在，你可能已经发疯般地想知道怎样才能像个心灵魔术师那样去表演了。那么，好，无须通过读心术来了解这些，马上就会有人告诉你该怎么做了。是的，他就是马奇迹博士！

大家好，大家好！你们想知道怎么表演读心术吗？啊，好的，我记得我曾经试读过一只土狼的心思。噢，那实在太可笑了。不管怎样，在这个魔术中，你所需要的只是一些牌和一位朋友。阿呆——10张牌，注意其中要有一张数字为10的牌！

谢谢，阿呆。好了，现在非常重要的是你要把牌摆成这个样子，就像数字为10的牌上印的图案一样。

现在，转过脸去，离开房间，或者把眼睛蒙住，然后请一位观众上来指出一张牌。

回到牌桌前，向大家解释说你的朋友马上要开始触摸这些牌了。当他这么做的时候，你将会抓住他们意识中的波动，最终找到刚才被选中的那张牌。

为了防止观众们怀疑你和你的朋友事先已经商量好触摸牌的次数，你一定要声明：你将请一位观众任意说出一个数字，而你的朋友会将这个数字当做触摸每张牌的次数。

当观众中的某个人给出一个数字以后，你所要做的就是当你朋友触摸牌的时候仔细观察。至于牌被触摸的次数其实并没有关系，重要的是它们被触摸的位置，尤其是数字为10的牌被触摸的位置。

之前，这些牌是按照"10"上面的图案摆放的，所以，如果你的朋友触摸到"10"上的这个位置，你就会明白被选中的牌就在那个位置。

好了，一切都搞定了。该收拾东西了，阿呆！

　　明白了吧，这就是心灵魔术。不论你对它的看法如何，最重要的还是保持一个灵活的头脑……

四处飘荡

你是否见过一段绳索自己解开？一把小提琴在屋里飞来飞去？一个人不用任何支撑物就能浮在半空？你想知道这些惊人的表演到底是怎么回事吗？好，在我们揭开这些魔术的秘密之前，我们还是先看看它们的起源吧……

旅行者的传言

12世纪时，很多人开始对旅行着了迷，这还真得感谢传说中的探险家马可·波罗，他曾经以游历遥远的东方而闻名遐迩。其后许多人追随他的脚步，像他一样，开始报道一系列发生在印度的神奇魔术。在这些绝技中就包括使物体或人飘浮在空中，且不用任何有形的支撑物——即所谓的"悬浮术"。

不要被带走了啊！

这些悬浮魔术通常是由印度的宗教人士，比如苦行僧来表演。许多关于苦行僧拥有惊人能力的传说流传于民间，其中有一个极其特殊的、让人震惊的奇观。下面就是目击者对它的描述……

1.一只只燃烧的火把立在观众的周围，地上放着一盘长长的绳子和一个编织的篮子。

2.在苦行僧开始表演魔术之前，一个小男孩会先吹奏一段曲子，苦行僧则在一旁和着节拍敲鼓。然后，小男孩会把那盘绳子挪到苦行僧面前，苦行僧则继续敲着他的鼓点。一旁的观众们静静地等待着。

3.过了一会儿，绳子突然离开地面向上升去，原先盘好的一卷绳子慢慢地变松了，直到它完全伸展开，笔直地伸向空中。

4.这时，苦行僧会将一些熏香扔进火里。紧接着，大量的烟飘到空中，弥漫在绳子的周围。接着，他打了个响指，那个男孩就开始顺着绳子往上爬，直到消失在烟雾中。

5. 几分钟之后，苦行僧开始喊那个男孩下来，却没有人答应。苦行僧又喊了一遍，还是没人答应。这时，苦行僧看上去十分生气，于是便自己顺着绳子爬上去找那个小男孩。过了一会儿，他又下来了，并且告诉观众那个男孩不见了。

6. 当苦行僧回到观众面前时，一阵喊声从那个编织的篮子里传来。苦行僧赶紧跑过去，掀开盖子，小男孩一下子从里面蹦了出来。于是观众们便齐声鼓掌，而苦行僧和小男孩则庄重地鞠躬谢幕了。

魔术史上有不计其数的人曾经表明，这个印度的绳子魔术揭示了真正的魔术力量。在1355年，据一个自称伊本·巴图塔的阿拉伯人（一个旅行者）描述，在一次前往中国的旅途中，他就在那个印度绳子魔术的观众群里。到了18世纪，作家马克西姆·高尔基也说自己曾亲眼目睹了这个魔术。这两个人都坚信他们是这一真正的魔术壮举的见证人。

大吃一惊

在16世纪，印度的统治者贾汗季声称，他曾看见过一些孟加拉的魔术师把一根长链抛到空中，而它就那样完全伸展开来停在半空。接着，魔术师招来一群动物——一只狗、一头猪、一只狮子和一只老虎，它们一个接一个地都爬上了那根链子。当魔术师下令收回链子时，所有的动物都不见了。

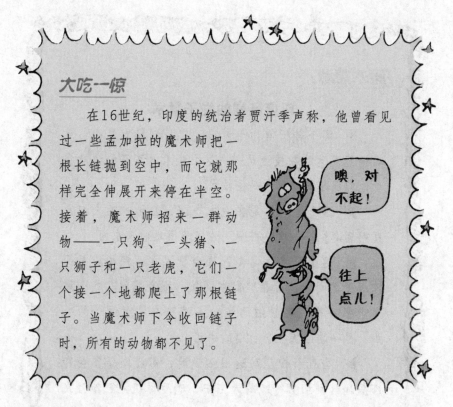

噢，对不起！

往上点儿！

然而，到了1954年，一群专攻舞台表演的印度人决定，要尽可能仔细地探一探绳子魔术的究竟。他们收集了和这个魔术有关的每一个证据，检查了其中每一个最微小的细节。最后，他们得出了一个结论并且公诸世人——那个印度绳子魔术完全不符合自然规律，只不过是个令人神魂颠倒的谎言罢了。

但是，就在这个著名的结论发表一年之后，有个人自告奋勇地揭开了这个魔术背后的一些秘密。印度教派的一位高僧接受了美国记者约翰·基尔的采访。他向记者坦言在他年轻的时候，曾参与过那个印度绳子魔术的演出，他愿意透露其中一些内幕。下面就是他当时的描述……

魔术揭秘

印度高僧的绳子魔术

▶ 那个苦行僧和小男孩一定是训练有素的、运动神经发达的杂技演员——这个魔术的真正秘诀就在于他们高超的攀爬和平衡技术。

▶ 这个魔术总是在晚上表演，且地上的火把一直熊熊燃烧——这使得观众的眼睛很难看清东西。

▶ 这个魔术肯定会把舞台设置在两棵树或是两栋房子之间，然后在它们中间拉一根金属丝。在金属丝上搭一根极轻且细的线，一端系在那盘绳子的一头，另一端则握在苦行僧的手里。

▶ 当苦行僧拉动这根细线时，那盘绳子就会奇迹般地升到烟雾缭绕的天空中，然后保持笔直地待在那儿。

▶ 这时，那个小男孩就会顺着绳子爬上去，不用担心，绳子已经被苦行僧牢牢地抓在手里了。浓浓的烟雾升到空中，遮住了绳子，所以当男孩爬到顶时观众们也不会看到他。然后，他就把绳子拴到事先已经绑好的电线上，再荡秋千似的穿过浓烟来到一棵树上或是一栋房子上。

▶ 这时，苦行僧就可以爬绳子上去了。

▶ 当他一回到地面，就立刻把观众们的注意力集中到自己身上。同时，那个男孩则偷偷摸摸地从树上或是房子上溜下来，趁观众不注意的时候，悄悄藏在那个编织的篮子里。最后，苦行僧就会在篮子里找到他了。

这一次招供看上去似乎已经把神秘的印度绳子魔术揭示得一览无余了，但是，当1999年一位绅士来到魔术银幕上时，却再次引发了争论的火花。

伊沙木丁声称他可以在室外，日光充足、远离任何建筑物的情况下，表演印度绳子魔术。当时共有25 000人跑来看这场盛大的奇观。伊沙木丁确实令一段绳子从一个篮子里升了起来，笔直地升到空中大概6米高的地方。然后，他也让一个小男孩顺着绳子往上爬了一小段。这可是一个真正非凡的景象啊，人们都相信这就是魔法。

但是，一些观众仍然坚持认为自己知道其中的奥秘。

一些观众的猜测

1. 旁观者声称伊沙木丁第一次给观众展示的是一根普通的绳子，可是后来他把这根绳子藏起来了。

2. 旁观者还说那根升起来的绳子实际上包裹在一段金属管子里，而且它们事先就藏在篮子下面的地底下。

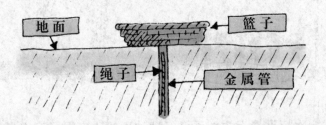

3. 他的一个助手也藏在篮子下面。这位助手会慢慢将绳子推上去，当男孩往上爬时，他还会帮忙支持住绳子。

你也能看得出，以上猜测中有不少漏洞。或许你能完美地解释伊沙木丁的绳子魔术。

由于受到印度绳子魔术的启发，19世纪的魔术师们开始争相让各种东西飞上天。那些早期到过印度的旅行者甚至声称他们曾经看到过人飘浮在空中呢。就像印度的绳子魔术一样，这些表演通常也是以一两个苦行僧吸引人们的眼球的。那些被旅行者们传诵的故事包括：

为他们自己催眠，然后凌空行走。

翱翔在天空中，最后到达了月球。

变形为一个立方体，然后升到半空中，并长时间悬在那里。

希硕的演出

1830年，几家欧洲的报社报道了一个关于牧师仅借助一根很大的羽毛就能飘浮在半空中的新闻。其中有人竟能以一根竹竿为支点，只用一个胳膊肘，就让自己停留在半空中。这个人就是希硕。

希硕在演出开始时坐在一张4条腿的凳子上，凳子的中间戳着一根竹竿。

103

一位助手在一旁用布将希硕盖住。与此同时，希硕很显然已经让自己陷入了一种深度催眠的状态。几分钟之后，助手会掀开那块布——再看希硕，已经停留在1.2米高的空中了，而他的胳膊肘却停留在竹竿的顶端

上，那里现在覆盖着一根巨大的羽毛，看上去希硕真的是浮在空气中呢！

大吃一惊

一个瑞典的表演者席曼，在1872年拜访了神圣的印度城市贝拿勒斯。在那里，他遇见了一个名叫"信服"的苦行僧，这个人能够让一名小女孩飘浮在花架子上方。在"信服"公开表演的时候，他还让席曼坐在离他很近的地方。第二天，那个小女孩找到席曼，说要带他去一个地方。其实，她带席曼去找了双手被火烧焦的"信服"。这个可怜的人解释说他为了惩罚自己，于是就把自己烧伤了，因为他让席曼如此接近了一个苦行僧的魔术，而这本来是被严格禁止的。

罗伯特·霍迪和他平躺着的儿子

为了不输给他们的印度同行，两个欧洲人决心一定要胜过他们一次——当然两次更好。18世纪40年代，法国人吉恩·尤金和罗伯特·霍迪宣称他们要用一种新近发现的气体——乙醚——让

他的儿子埃米尔飘浮在空中。这使惊奇的观众们相信，这种神奇的乙醚真的起作用了。

后来，也就是1867年，在伦敦的水晶宫，一位英国魔术师约翰·内文·马斯基林竟让他的妻子浮在半空中，而且从他们站的地方算起，有几十厘米高呢。

泰晤士报这样写道：

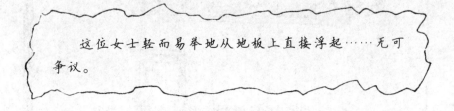

但是约翰并不满足于现状，他能够让自己从一个上锁的橱柜里飘浮出来，而且就在观众脑袋的正上方。每个人都奇怪他是怎么做到的。

一个叫哈里·凯勒的美国人成为约翰作品的忠实学生，他决心要弄明白这个魔术究竟是怎么回事。他知道光凭自己是不可能搞清楚的，在无可奈何的情况下，他求助于一个最老土的办法——行贿。

105

哈里·凯勒付了一大笔钱给一个叫保罗·瓦拉东的魔术师，他在约翰手下干活。很快，保罗就透露了演出背后的秘密。之后，他便效力于远在美国的凯勒，过了不久，凯勒发明了属于自己的悬浮术，当然这是建立在约翰的技术之上的。

想知道这些新的悬浮术是什么样子的吗？噢，别着急，我们还是先来个小插曲……

魔术的技巧——悬浮术

"竹竿"悬浮术：许多极著名的悬浮魔术都是利用了藏在表演者身上的一根杆子。人躺在杆子上，而杆子由一个结实的合叶连接在一把很沉的椅子上。这样看上去，人就好像飘浮在椅子上方一样，但实际上是那根杆子支撑了他的身体。

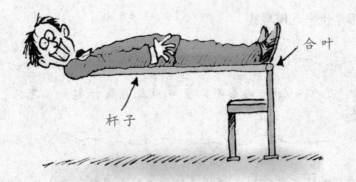

合叶

杆子

还记得希硕和他的羽毛吗？不错，更进一步的研究表明，那根戳在椅子上的杆子实际上是金属制的，只不过表面包了一层竹子皮。当希硕被布蒙起来时，他的助手便把一根杆子水平连接在竖直的杆子顶端，再用一根很大的羽毛把它们遮住。希硕可以在水平的杆

子上保持平衡，这样就制造出只用胳膊肘支在竹竿的
顶端就能飘浮的假象。

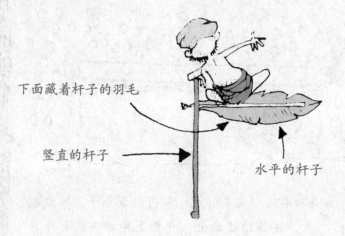

下面藏着杆子的羽毛

竖直的杆子

水平的杆子

　　这种金属杆交连的网状结构似乎是约翰·内文·马
斯基林那奇妙的悬浮术的产物。

　　假脚悬浮术：在一个人身上盖上一张床单，只
让他的头和脚露出来，然后他就会从地面上缓缓升起，
而他的头和脚却依然可以从床单的两端看到。实际上，
观众看到的那两只脚是假的（通常只是放了一对木头杆
子，呵呵）。

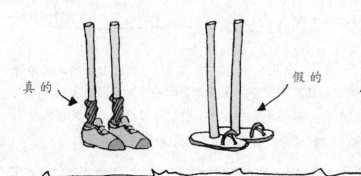

真的

假的

演出的人先半蹲身子，并且保持他的头从床单的一端露出来，同时还要把一双假脚从另一端伸出来。

当床单被往上提起时，他也慢慢站直身子，假脚也随着往上抬，这样就制造出一种整个身体都在上升的假象。

空心框架：一位"志愿者"（真正身份是魔术师的助手）被床单蒙着，从舞台上的一个活门爬出去，然后把一个空心框架（像个人形）通过活门推上来，放在床单下面，这样观众们就以为那个志愿者还在床单下面。

当魔术师把床单慢慢提起来的时候，他就把那个空心框架也抬起来，制造出志愿者飘浮起来的假象。当魔术师让床单降下去的时候，那个志愿者就迅速地打开活门，赶紧把空心框架拉下去。就在这时候，魔术师会冷不防把床单拿走，展示给大家的是志愿者已经消失了。

空心框架

悬浮术的传说

当今的魔术大师大卫·科波菲尔不仅能在舞台上浮起来，还会邀请一位观众来参与他的一小部分飞行表演。大卫可以在一个装有玻璃顶的笼子里飞来飞去，同时他的一名助手会从那个玻璃顶上走过去，以证明那个玻璃顶确实存在，而且不可能用钢丝把人吊起来。这对许多观看者来说可真像做梦一样啊。

评论家们声称，大卫总让自己的助手坐在观众席的前几排，以至于真正的观众不可能看到任何魔术中的线或是绳子。当然啦，大卫否认了这样的报道，但是每一个为他工作的人确实必须要签一个不能泄露秘密的协议。

大卫曾表演飞越美国亚利桑那州壮阔的大峡谷，那可能是他上演的所有悬浮术中最壮观的一次了！尽管这一壮举看起来是那么逼真，但仍有很多人说科波菲尔只是运用了所有现代先进的摄影技术而已。

大卫·布莱恩可以在路人面前让自己从地面上浮起来几厘米。这个表演可以说达到了难以置信的真实，但还是有一些评论声称他也使用了大量摄影技术和特殊的剪辑，这样就使他的表演在电视机前的观众面前更真实了。

要想精通地掌握悬浮术，一定要经过数年严格认真的训练，而且还要买一些很昂贵的魔术道具。这里，格雷特·马奇迹会告诉你一个简单（又便宜）的方法……

是不是手很痒啊？没问题！你只需要为这个魔术准备3样东西：

一个彩色的小塑料瓶，大概20厘米高。

一根细绳，大概是20厘米长。

一块折断的橡皮，一定要是很小的一块哦，要比瓶口略小才行啊。

阿呆——一个瓶子，如果方便的话！

干得真不错，阿呆。看来我必须经常送你上去才行。现在，在你准备给观众展示之前，先把那块掰断的橡皮丢进瓶子里。

请一位观众上来，告诉他你拥有一种能力可以让瓶子浮在半空中。他们一定会大叫"骗子"！或是"我们才不会相信你的"！但这就是魔术师生活的一部分，所以别理他们。

骗子！

我们才不会相信你！

用一只手拿着瓶子的底端，另一只手把那根绳子放进瓶子里，然后上下抽动几次绳子，以显示它并没有和瓶子有任何连接。

让绳子悬垂在瓶子中，然后把瓶子倒过来。这时候，那块橡皮就会掉到瓶子口处，形成一个楔子将绳子卡住。（你应该不停地说话以掩饰橡皮弄出的声响。）一定要保证绳子已经被紧紧地卡住了。

橡皮

念一句咒语——浮了若马——然后把瓶子照原样正过来。

当瓶子正过来以后，你就用一只手提着绳子，另一只手从瓶子下面拿开。出乎意料的是，瓶子看起来真的浮在半空中了，而绳子也还是在里面悬垂着呀！

砍掉你的助手

有哪本关于魔术的书会落下把人锯成两半那一章呢？至少书的一半内容都是有关那一部分的才对嘛。是的，多年来，魔术师们已经把他们自己或是其他人斩首、切成片、分成两段、刺穿、大卸八块或者剪碎。但是，直到1921年，才有人尝试把另一个人完全砍成两半……

一个演出片段

一个名叫P.T.塞尔比特的人（真名是帕西·蒂布尔斯）很喜欢在他的助手身上表演各种危险的魔术。在19世纪早期，他的演出常包括下面这些有趣的事：

▶ 人肉针垫。在这个魔术中，84根真正的长针穿透了他助手的身体。

▶ 有弹性的女人。这个表演中，他助手的手腕和脚踝都被绳子绑住，然后往两头拉，结果她的胳膊和腿居然伸长了很多。

▶ 避免被碾碎。一个装着两位助手的箱子被放在第3个助手待的箱子上面，然后往下压，直到第3个助手被碾平。

但是，1921年1月17日，帕西表演了一个魔术，着实惊呆了所有的观众，也轰动了整个魔术界。当着伦敦芬斯伯里公园里所有观众的面，他把他的助手用绳子绑起来，并把她放进一个板条箱里。箱子关好后，他把3片玻璃通过盖子上的槽插进去，然后再把两个钢制刀片也插进箱子里，正像塞尔比特指明的，这个箱子已经被分成了8小块。不过这好像还不够似的，他露出了邪恶的眼神，为了制造紧张气氛，慢慢地，将箱子锯成两半。

接下来，抽出那几片玻璃和钢制刀片，将两半的箱子拉开——可以看见那位助手的头从箱子的一端伸出，而脚则从另一端伸出，但是在两半的箱子中间，却什么也没有，除了稀薄的空气……

对于无知的观众来说，这看上去就像P.T.塞尔比特直接把他的助手砍成两半了一样。为了增添更多的戏剧效果，塞尔比特甚至在演出后让人把数桶假血倒进剧院外的排水沟里。

那么，P.T.塞尔比特是怎么办到的呢？其实，像大多数魔术一样，技术虽然简单，但是行之有效。

魔术揭秘

塞尔比特的斩腰魔术

1. P.T.塞尔比特所使用的箱子是没有底的，且放在一个中空的平台上。那位助手进入箱子后，就会将自己的腹部沉入平台的空洞中。

2. 同时，她需要把头、手和脚从箱子的两端伸出来。之后，塞尔比特就从箱子中间锯下去，直锯到平台为止，然后将一个厚平板插进去，这样才能分开已经锯开的两部分。

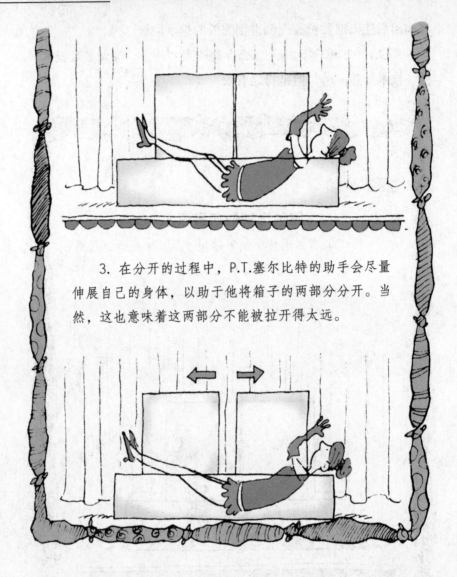

3. 在分开的过程中，P.T.塞尔比特的助手会尽量伸展自己的身体，以助于他将箱子的两部分分开。当然，这也意味着这两部分不能被拉开得太远。

P.T.塞尔比特的魔术立即赢得了成功，但是这只是故事的一半。几个月之后，在纽约市，一个叫贺瑞斯·金的魔术师演绎了这个魔术的另一个版本。在贺瑞斯的魔术中，箱子比以前大了许多，而且锯开箱子以后，他就立刻用金属板将分开的两部分分别封住，并且把它们拉开得更远，比P.T.塞尔比特魔术中的距离远多了。那么，贺瑞斯到底是怎么做的呢？

贺瑞斯的斩腰魔术

1. 在这个魔术中，贺瑞斯使用了两个助手。一个钻进箱子里，另一个则藏在箱子下面的平台里。

2. 盖上盖子以后，箱子里的那个助手会把她的膝盖抬起来，这样她就可以只占据箱子一半的空间。

3. 接下来，第一位助手把她的头和手从箱子的一端伸出来，同时，第二位助手——藏在平台里那位——把她的脚从箱子的另一端伸出来。

这样等贺瑞斯锯开箱子以后，就可以将这两部分拉开很远的距离了。实际上，他可以把有助手的头伸出的那一半想拉多远就拉多远。

与实际情况相比，还是P.T.塞尔比特的方法更好，贺瑞斯所用的箱子太大了，很容易让人们猜出他是怎么做的。但是，当他们对公众演出时，P.T.塞尔比特的上座率只有金的一半。实际上，在每一场演出之前，贺瑞斯都会安排一辆救护车，连同医生和护士，穿过大街小巷做宣传。

我们要去贺瑞斯·金的演出现场，以防他锯出什么意外啊！

他还在报纸上登这样的广告：

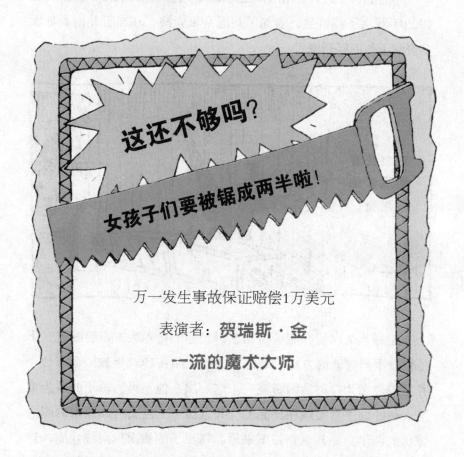

这还不够吗？

女孩子们要被锯成两半啦！

万一发生事故保证赔偿1万美元

表演者：**贺瑞斯·金**

一流的魔术大师

这个魔术为贺瑞斯带来了巨大的成功，所以当P.T.塞尔比特决定在稍后的1921年去美国发展时，铁定是要遇上麻烦的……

肮脏的魔术

虽然可能没人希望P.T.塞尔比特和贺瑞斯成为最好的朋友，但是在P.T.塞尔比特到达美国后，他们之间甚至连友好对话的机会也灰飞烟灭了。贺瑞斯的娱乐公司把他的演出安排在P.T.塞尔比特将要去演出的每一个城镇，并且是在P.T.塞尔比特准备去那里之前的一个星期。

不管怎样，P.T.塞尔比特还是继续了他的巡回表演，并最终在1922年回到了英格兰，参加了英国皇家表演，在国王乔治五世面前表演了他的腰斩魔术。

这才是腰斩魔术的极限啊！

还好不久以后，贺瑞斯就意识到他的魔术版本需要改进，于是他着手研究新的方法。最终完成的作品在1931年被搬上舞台，并且被命名为"鲜活的奇迹"。这一次，他不再为箱子的事为难了。他的助手直接躺在桌面上，并且被一个巨大的90厘米的圆形锯切成两半，他甚至在停下来后，将桌子的侧面推向观众席，这样观众们就能看清楚被锯成两半的女孩了。当然，几秒钟之后她又复原了，观众们简直要神经错乱了！

大吃一惊

1956年，一位叫索卡的印度魔术师在电视上表演了一个魔术，和金的"鲜活的奇迹"很相似。他也用一个圆形的嗡嗡作响的锯将他的助手迪普蒂·杜伊锯成了两半。

一切都进行得那么顺利。由于电视的转播时间有限，才不得不在观众们看到两半的迪普蒂·杜伊复原之前就停止了转播。结果，这引起了数千名观众的愤怒和恐慌，他们纷纷打电话到电视台询问她的情况。当然啦，她什么事也没有，但是直到迪普蒂·杜伊完整无缺地再次出现在电视上后，这场骚乱才得以平息。

"之字形女孩"

1965年，一位名叫罗伯特·哈宾的魔术师将腰斩魔术又往前推进了一步。在他的版本中，一位助手站在一个箱子里，被两个金属刀片切成了3截。之后，中间那部分——就是助手的肚子——被拉到一边，那么在她身体中间的位置就空了。更可怕的是，整个过程中，她的头、手、脚，甚至肚子都是可以被观众看到和摸到的。罗伯特称她为"之字形女孩"。

"之字形女孩"获得了巨大的成功，绝对的成功，以至于成批的魔术师竞相表演相同的魔术。这使罗伯特非常生气，于是在1970年，他出版了一本名为《罗伯特·哈宾的魔术》的书，揭示了其中的奥秘。

"太棒了，"你可能会这样想，"现在我们可以知道他是怎么做的了。"

但是，哪有那么好啊……要知道，这本书的印刷数量被严格控制了，价格也高得吓人，每个买了这本书的人都必须签一个协议，保证不告诉任何人里面的秘密。

121

终极分割

把人锯成两半的魔术已经被当今的魔术大师大卫·科波菲尔带到了顶点。实际上，在他的魔术中，他甚至不使用锯，取而代之的是一个激光束，它也能把他的助手砍成 3 段，然后他会把中间那一部分整个拿走。他的另一个魔术新近被投票选为全球最棒的魔术，称为"终极分割"。大卫被绑在一个巨大的圆形锯下面，那个锯飞快地旋转着，慢慢地接近他，越来越近，越来越近。他试图逃跑，但是失败了。接着，在众目睽睽之下，那个锯直接穿过了他的身体。他的助手把他身体的两部分分开，并且把他的头抬起来，这样他就可以看到自己的脚了。

然后，助手们把两半的身体重新放回锯的两边，移开锯。看着啊，变！大卫又复原了。这真是个奇观，可惜的是，他还没有把他是怎么做的写成一本书。

不管怎样，现在总算轮到你们盼望已久的部分了……

把你的老师切成两半

要把你的老师切成两半，你需要……

哎呀，对不起，我们的时间已经不多了，必须往下进行了。

不过别担心，也许你自己就可以想出一个办法来呢。（开个玩笑，当然啦！）

终极逃脱术

严重警告

本章所提到的全部逃脱术，只有那些已经经过几个月，甚至几年磨炼的技艺高超的魔术师才能完成。所以，要试试它们中的任意一个吗？那简直是找死！

很好，现在我们言归正传，是让我们见一见那些地球上最勇敢的（或者说最疯狂的）表演者的时候了，他们由于某种原因认为从手铐中、捆绑中或是类似的情形中逃脱，一定是个让人震惊的奇观。下面就是早期逃脱术的一个时间表，就让它引我们入门吧。

16世纪

那时的一些乞丐沿街表演，以求得到人们的施舍，他们惊人的逃脱术之一就是让自己身体的各个部分从封闭的木头箱中逃脱。

17世纪初

法国表演家拉·特露德开始表演从手铐里逃脱，当然啦，他颇受犯人们的欢迎，所以他在监狱里表演了无数场。

17世纪80年代

在意大利表演者派因迪（是的，又是他）的演出中也有逃脱术，他的道具是手铐和很长很长的绳子。他借此声名大振，在1784年甚至被邀请到温莎城堡为乔治三世表演呢。

18世纪早期

故事又转向印度，那里的魔术师甚至可以自己解开身上最复杂的绳扣。

18世纪70年代

一位叫雷德蒙的英国医生成了家喻户晓的人物，他被称为"绳子专家"和"手铐操纵者"。他的病人都为他的技艺所倾倒，但是要是请他做手术的话可太糟糕了。

18世纪晚期

美国土著克里族印第安人表演了有他们自己民族特色的逃脱术。他们把有法术的人的胳膊和腿绑起来，然后放进一张麋鹿皮中，之后他必须合计出一个逃出来的方法。

哈里·胡迪尼——大师来了

所有这些表演逃脱术的人都因为他们独特的方法给人们留下极深的印象，但是一个新面孔突然闯入了银幕，他可以把这些人三五成群地全都绑起来。他的名字就是哈里·胡迪尼，从此，他掀开了逃脱术崭新的一页。

胡迪尼1874年出生于匈牙利，起名为埃尔利希·魏斯。他的家境很贫困，当他4岁的时候全家移民到了美国，希望能生活得好一些。他的父母常亲昵地喊他"埃尔利"，长大以后，他自己改名为哈里，而胡迪尼这部分则是取自他最喜欢的魔术师，无疑是罗伯特·霍迪（还记得他吧——见第104页）。哈里在他偶像的姓后面加了个字母"i"，就在这一瞬间，历史上最具魔幻效果的名字诞生了。

胡迪尼可不是你见过的一般小孩——8岁的时候他就已经干着几种不同的工作了。12岁的时候，他离开家，开始周游美国。

刚出道的时候，胡迪尼和他的兄弟一起演出，通常是在啤酒城和娱乐公园。他们自称为"胡迪尼兄弟二人组"，但是没过多久，哈里就决定单干了。他的表演包括很多的纸牌和硬币魔术，可不久以后，他就开始对逃脱术疯狂地着迷，并且正式在他的演出中加上了手铐逃脱这一节目。

胡迪尼兄弟

胡迪尼对自己的能力非常自信，以至于他发出了对公众的挑战。

每到一个地方，他就把自己的广告贴到那些可能会被挑战者看到的地方。广告词大概就是这样：

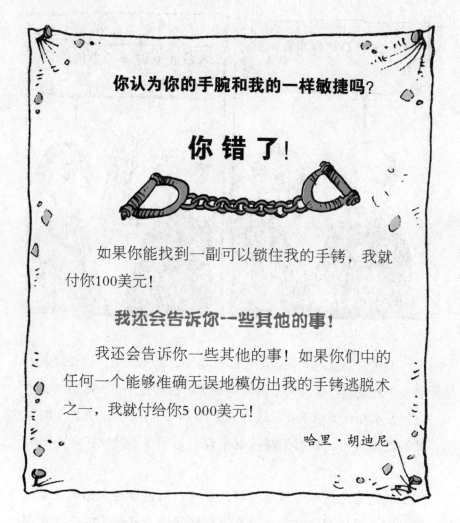

你认为你的手腕和我的一样敏捷吗？

你错了！

如果你能找到一副可以锁住我的手铐，我就付你100美元！

我还会告诉你一些其他的事！

我还会告诉你一些其他的事！如果你们中的任何一个能够准确无误地模仿出我的手铐逃脱术之一，我就付给你5 000美元！

哈里·胡迪尼

人们成群结队地来挑战胡迪尼，在他身上试了各种型号的手铐，竟没有一个人找到能不让他逃脱的手铐。接着，胡迪尼开始了在美国和欧洲的巡演。在1900年到达伦敦那一站时，他被带到伦敦警察厅的警察总署，并被一副他们认为是最可靠的手铐锁住。

当时，胡迪尼和一位英国警察之间的对话大概是这样的：

手铐对胡迪尼来说已经足够成功了，但是很快，他又向绳子那一分支发展。他发明了许多种捆绑自己的方法——拇指结、晒衣绳系法和北美印第安系法都只是其中的一小部分。人们不断地花钱看他演出，而对于胡迪尼来说，这些钱不过花在一些旧绳子上。

胡迪尼总是不停地寻找新的挑战，所以他经常出现在监狱里，并且总被要求锁起来。在这些经历中，最著名的一次是在1906年，他访问华盛顿的一所监狱的时候，被要求锁在一个单人房间里，并被告知他可以大声喊叫求救。让监狱全体工作人员惊讶不已的是，不一会儿，他就再次出现在大家面前。他不仅成功地逃脱了，而且还打开了许多其他单间的锁，放走了其他的犯人。

哈里的观众当真相信了他具有超人的能力，但是像魔术界中所有爱卖弄的人一样，他只是有自己的绝招而已……

魔术揭秘

胡迪尼的逃脱术法则

1. 你的衣服上总有个暗兜，里面装着一把小刀子。

2. 至关重要的是，你的身上一定要有一套备用的钥匙。

3. 当你试图从一个橱柜或是笼子里逃脱的时候，请一支乐队使劲大声地演奏，以掩盖你弄出的各种响声。

4. 如果你被扔到水里，同时还被铐着手铐、脚镣，塞进一个钉着的箱子里，一定要保证箱子的一端有个活板可以把你放出来。

5. 当你被好几副手铐锁住，而且最后一副也是最复杂的一副——在你胳膊的最上端时，记住，在你搞定其他那几副以后，这一副会从你的手腕上轻松滑下来的。

死亡的动力

胡迪尼喜欢出风头。为了保持一个高姿态，他总是不停地寻找新路子来显示他难以置信的广博才能。他甚至为了一场演出做了一个巨大的足球，邀请一大帮观众来见证他的逃脱术。有一次他说：

> 公众总是在寻求戏剧性的东西，给他们一个危险的暗示，可能是死亡，你就能不停地吸引他们来看你的演出。

胡迪尼过着太不寻常的生活，所以他不会是在睡眠中安然逝去也很正常。1926年的一场演出结束后，一个学生在后台问他是不是真的能经受住拳头的猛击而不受伤，胡迪尼说是的，但在他还没来得及绷紧腹部的肌肉来适当地保护自己时，那个学生就给了他极重的一拳。尽管他疼痛难忍，还是坚持完成了后面的演出。然而胡迪尼这次被伤得太重了，不久后，他就去世了。

险些酿成一场可怕的事故

很多表演者都受到胡迪尼的启发，并且模仿了他的一些逃脱术或是新创了一些。他们也都获得了不同程度的成功，尽管他们中的一些人也遇到了点儿麻烦：

▶ 1996年，美国逃脱术表演者罗伯特·盖洛普表演了终极潜水。演出中，他被铁链绑住，并被锁在一个金属笼子里，而笼子则放在一架飞机里。

131

当飞机升到空中几千米的高度时，笼子被抛出去。盖洛普只有50秒的时间用来逃脱，并且要拉开拴在笼子外面的降落伞。他必须及时完成这一切，因为几秒钟之后，笼子就会掉到地上摔得粉碎。

好了，你现在还觉得逃脱术是稳操胜券的事吗？当然，我们的好朋友格雷特·马奇迹会支持你的，但是在他有任何动作之前，请仔细阅读下面这一段。

更加严重的警告

当你试图尝试这个逃脱术的时候，必须要有一个成年人在场。

为了表演这个逃脱术，你需要一个很大的袋子、一根很长的绳子、一块床单、一位助手，当然啦，必须是成年人。千万不要用塑料袋，这一点非常重要！搞不好你会被憋死的！袋子最好是那种编织的——你可以用床单做一个啊。阿呆——一个袋子，麻烦了！

现在，你要做的第一件事就是在距离袋口20厘米的地方，剪一圈小洞。

接下来，你需要把那根长长的绳子从这些洞里穿过去，记住在最后两个洞外留出较长的绳头。绳子越粗，就越容易解开啊。

然后，你就可以准备请出你的得力助手了。我嘛，当然啦，有阿呆。

133

让你的助手抓住伸出的绳子的两头时，告诉你的观众你将要爬到这个大袋子里，并且袋子被系住，但是你会表演一个精彩的逃脱术。

爬进袋子里，当你开始往下蹲的时候，拉住你面前的一段绳圈（用两只手），至少30厘米啊，你的助手当然会松松地握着绳子的两头，以便让你拉进去足够的长度。

现在你已经乖乖地在袋子里握着那个绳圈了，你的助手会当着所有观众的面将绳子两端系住，确保只是个简单的绳扣啊。可以请一位观众上来检查一下绳扣是否可靠。

然后，助手用那个床单把整个袋子盖住，观众们聚精会神地盯着，心想你是没有办法从袋子里逃脱的。在袋子里大叫一声魔术咒语——易斯卡波佐！

当床单一盖住袋子，你就放开绳圈，让双手有足够的空间伸出袋口，解开绳扣，能多快就多快。一旦完成这一切，你就从袋子里一下跳出来，把床单扔到一旁，观众们一定会掌声如雷，你就成了逃脱术的新星啦！

谢谢你，马奇迹！

现在是检验一下你自己的表演天赋的时候了……

一流的演出

从在你的卧室里表演最简单的魔术，到在宏伟的剧院或电视上进行最炫的演出，如果你想成为一名真正的魔术师，你必须从里到外、从前到后、从上到下地了解自己的魔术。观众们是需要震撼、惊讶和刺激的——你的表演也有被观众发现破绽的可能性。如果魔术师没有充分的准备，那么观众们很可能会轻而易举地揭穿你。

如果你想成为一个成功人士，就需要下工夫。你可能对自己什么时候状态比较好很清楚，并已做好一切准备，但还是要再验证一下自己，比如给一两个人先表演一下。如果他们看完后求你再来一遍或者很想知道是怎么做的，那么说明你确实是准备好了。如果他们只是站在那里问你："这个魔术是在说什么呀？"很抱歉，你可能还需要再练练。

因此，为了避免临时抱佛脚，这里有一些建议。

你的小道具

▶ 试着从日常生活中发现一些小道具，观众们经常会为一些魔术感到惊讶，因为他们用过类似这样的东西啊。

现在，我要让泰迪消失了……

▶ 发挥你的想象力，如果你的某个魔术中需要用一个球，为什么不用一个苹果代替呢？这样，结束的时候，你就可以狠狠地咬它一口或是把它送给观众作为演出的最后一幕。

▶ 不要使用太多的小道具，否则会让你的表演看起来很凌乱。可以重复利用的就重复利用好了。你可能很想把自己的舞台装饰上许多漂亮的小玩意儿，但这些东西会令你行动不便，而且观众们会对每一样东西都抱有期望，如果舞台上的某个东西没有在魔术中派上用场，他们可能会很失望的。

▶ 一些小道具会有暗兜或是特殊的附件，所以你需要到魔术商店去买。给你个忠告吧，有些魔术器具是非常昂贵的。因此，在你去店里查找你所需要的这些特殊物件的价格之前，先打个电话到店里还是很值得的。这里有3种你应该知道的暗兜类型：

（a）储物罐式暗兜——它的开口在下面，这样可以让小道具直接掉到你的手里。

（b）倾斜暗兜——这是在你衣服外面的一个非常小的口袋，它的位置刚好是你手臂自然下垂在身体两侧时，双手能够到的地方。

（c）内侧暗兜——在夹克或者燕尾服内侧的一个额外的口袋。

▶ 保证你的服装和道具与你给人的印象相匹配。颜色鲜艳并且古怪的服装代表一个有趣的活泼的魔术师，而传统一些的服

这衣服到底是魔术还是为了搞笑啊？

装，比如大礼帽配无尾礼服则适合一个严肃一些的魔术师。

▶ 仔细考虑你需要什么东西和什么时候需要它们，如果当你需要一个特殊道具的时候，它被放在左后方的角落里，而你正在右前方的角落里，那可真是糟透了。当然啦，除非你的手臂有超强的伸缩性……

▶ 不管你选择什么样的空间来表演，一定要熟悉那里的每一个隐蔽处、裂缝、角落，还有缺口，把它当成你的第二个家，因为越了解你的地盘，表演的时候才能越得心应手。

你的台词

▶ 这不是指你说什么，而是你怎么说和什么时候说，这非常重要。你的魔术师"台词"也可以为表演制造悬念的，举个例子……

你可以说：

"你们马上要见到的是一个极度罕见的奇迹。它会令你头晕

眼花、迷惑不解，不论你怎样努力地想弄清楚，都是徒劳。只有
古代那些技艺超群的魔术大师才能够理解这令人敬畏的壮举。"

你不可以说：

"这个魔术也许你会喜欢，它还可以，但是没有什么特殊
的。你可能以前都看过一千次了，任何人都能做到啊。最后你可
能会想：'噢，好的，还不赖。'"

▶ 如果你想在表演中多增添些喜剧效果，你就需要多学一些
笑话，但是提醒你一句……想讲好一个笑话很难，所以你还需要
大量的排练和限时练习。简短的笑话，比如说俏皮话，可能是最
好的开始。

▶ 如果你是个比较严肃的魔术师，你就需要为你的魔术编个
故事，或者如果有的话，你也可以讲一个关于这个魔术的真实的
故事。

▶ 还有一个很好的主意，就是事先准备一些抢白，以防观众
中的任何一位试图为难你或扰乱你的表演。在大多数观看魔术的

139

观众中，经常至少有这么一位"破坏者"。下面就讲一个对付他们的方法：

在演出开始的时候，给某人一个装有一张纸的信封。之后，当那个破坏者大喊："噢，这是什么鬼魔术啊，简直就是垃圾！"你就说："真遗憾你不喜欢这个魔术，可能你会喜欢这个？这是我早些时候做的一个预言。"然后，你就让那个拿着信封的人把里面的纸拿出来，并且把纸上写的东西读出来："预言——在演出的某一时刻，有个人试图破坏大家的情绪。这个人是个可怕的、讨厌的家伙，其余的观众可以一起嘘他呀！"

▶ 在魔术表演结束之前，千万不要乱讲话以免破坏惊讶的效果，比如"当我摊开我的手掌时，你会看见两个红色的球在那里"之类的话。

▶ 如果你的动作大家都能看到，你就不要再说出来了，例如"我现在正在打开这个盒子"。

140

▶ 让你的台词听起来自然些。尽管你之前可能已经说过一千次了，但是对于你的观众来说这也许是第一次听到呢，所以一定要保持它的新鲜感啊。

不要让人们产生怀疑。不要说："我要用这块绝对普通的、没有以任何方法换过的手帕盖住这个球。"观众本来也许并没有想到手帕有什么问题，所以不要给他们这种机会啊。

你的观众

▶ 考虑一下观众的位置，舞台的正前方是最好的。如果他们坐在你的四周，就有可能看到魔术的部分秘密。

▶ 在舞台上走动的时候，如果你希望这个东西被看到，比如一个小道具或者你的助手，你就走到它（他）的后面。如果你说的某个东西很重要，你就走到它的前面去。

▶ 不要背朝观众。如果观众看不到你的脸，他们会很烦的。向后挪动的时候，就沿着舞台的对角线走，一定要保证你已经能确定小道具和布景的位置，而不至于撞到它们。

▶ 利用一个志愿者转移观众的注意力。如果你让他们去洗牌，观众就会盯着这些志愿者看而不是你。

你的表演风格

▶ 一旦你可以把自己大大小小的魔术进行分类时，你就需要想想怎么能把它们凑成一台完整的演出了。这不仅仅是把所有的魔术穿成一根线那么简单。如果某个魔术中要用到一个复杂的道具，而且要求你必须下台去，那你就可以顺便把下一个魔术的另一个道具带上来。每一个魔术之间都应该有流畅的过渡，这样它们就可以一个接一个地融合在一起，好像所有的表演几乎就是一个很长的魔术一样。

▶ 你的第一个和最后一个魔术非常重要。谢幕的时候"砰"的一声就不错，当然，上台的时候"砰"一下也挺好。你的目的就是要给观众一个深刻的印象，所以一定要让你的第一个魔术一炮打响啊！

谢谢你们，晚安！

这就是我说的那个"砰"！

▶ 专业的魔术师在排练时会有个制片人在下面观看，并指出他们还要注意的地方。你可以找你的朋友来看你排练，然后让他们谈谈对你的表演有什么看法。

▶ 不要混淆风格。如果一开始你表现的是一个很搞笑的魔术师，可后来突然转型为一个神神秘秘的魔术师，那观众会觉得很奇怪的。

▶ 千万不要将同一个魔术做两遍。观众会求你把一个魔术再表演一遍，但是不要这样做。什么事情到了第二遍就没意思了，也不会有什么惊喜了，因为观众们知道下面要发生什么了呀。而且如果你重复了的话，他们很有可能会猜出你是怎么做的了。

▶ 俗话说，不断练习才能进步。这话对魔术师而言永远是对的。如果你当真想成为一名一流的表演者，那么你的练习永远都不够。在这本书里，你可以学到一些魔术，不过在其他书里、杂志里和网上还有成千上万种魔术需要掌握。真正神秘的魔术师从不会停止寻找新的路子来丰富他们的表演。

▶ 如果你能找到一个摄像机，就把自己的表演录下来，然后把它回放，你就可以看见自己的演出了。

▶ 练习、练习、练习，不断地练习，对着镜子练习，对着隔壁家的狗练习，对着隔壁家狗的镜子练习，总之要对着任何会看你的人练习。

求你了，我现在可不可以照照镜子？我今天晚上有个很重要的约会！

▶ 参加一个魔术团体。年龄满18岁后才可以加入魔术看台（详见第151页），但是如果你的年龄在10～18岁之间，可以先加入"青少年魔术看台"（YMC）。它会组织年度的竞赛，叫做

"年度青少年魔术师"。想参加的话，就要先成为它的会员，所以先给他们写信吧，找他们要一张申请表。但是注意啦——这个竞赛中的魔术水平可是很高的哦！

最后……

我知道你已经迫不及待地想要跳上这个魔术师的舞台了，但是在这之前，还有最后一课——向最棒的人学习。尽量多地去看魔术师们的表演，学习他们的技术，听听他们都说些什么，再仔细研究他们的魔术。如果可以的话，你就到后台去和他们聊聊，看看他们怎么打扮。你可以从其他魔术师或者那些比格雷特·马奇迹更棒的人身上，一点一滴地学到很多东西。

半根绳——整根绳

在表演我最后的魔术之前，你必须戴上一块手表。你还需要一块手帕（保证它很干净）、一把剪刀和两根绳子。其中一根15厘米长，另一根40厘米长。阿呆——我的绳子，快点！

在你表演这个魔术之前，把那根短一些的绳子弯成一个圈，这将是你的"秘密武器"。做完之后，就把绳子的两端用一段透明胶带粘起来，就像这样。

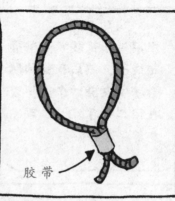

胶带

将这个秘密武器塞到你的手表下面，我们就叫戴手表的这只手为"魔力手"，你的另一只手就叫"二号手"。

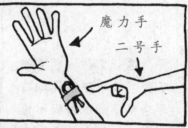

魔力手

二号手

现在，你可以开始表演了。先向观众解释你马上要把一段绳子剪成两半，然后再把它们还原成一条。用二号手把较长的那根绳子放进魔力手中，魔力手的手背一定要朝向观众啊。

魔力手

145

用二号手提起较长的那根绳子，然后在你的魔力手中弯成一个圈，现在用二号手拿一块手帕把绳子盖住。

完成这些之后，在手帕下面，二号手快速地将手表带下的秘密绳圈拉出来，并把它拉到魔力手的最上面，然后把较长的绳子向下推到手掌里，这样观众就不会看到了。念一句魔术咒语——哈弗霍里！

手帕

秘密绳圈

整根长的绳子

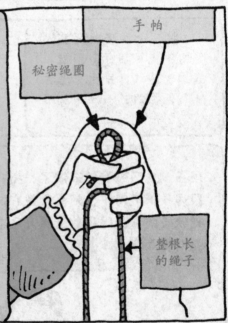

将手帕拿开，露出秘密绳圈（观众们肯定以为那就是较长的绳子弯成的圈呢），请一位观众拿剪刀从绳圈的中间剪开。

再用手帕遮住你的魔力手，并且第二次说出魔术咒语——哈弗霍里！戏剧性地掀开手帕，一同带走的还有那根被剪断的绳圈，之后展示出来的那根较长的绳子居然奇迹般地还是完整的！掌声响彻天空的时候，深深地向观众们鞠一躬。

前途无量，现在你应该已经掌握了足够多的魔术，把它们合起来就可以上演一台一流的演出了。只要你勤加练习你的技术，准备好你的小道具，并且让你的台词更完美，还有什么能阻挡你呢！

尾 声

　　就像变魔术一样，你已经一下子跳到书的结尾。这难道不是魔术吗？这一路上你已经见过世界上一些最杰出的魔术师了，还解析了一系列成功的魔术。

　　但是如果你认为现今魔术是令人兴奋的，那么想一想将来它会是什么样子呢。大卫·科波菲尔已经在他的演出中运用了激光，而马克斯·莫万也尝试了全息摄影和交互魔术。技术大踏步地前进，上千种新的、让人困惑的、令人惊讶的魔术和小道具都等待着破茧而出。而且，谁知道呢，没准你也是制造者之一呢！

　　现如今，不管是大众需求，还是个人兴趣，魔术都比以前更受重视了。尽管我们能够比声速前进得更快，和地球另一端的人聊天就像他们在隔壁一样，几秒钟就能从因特网上下载上亿条信息，人们仍然会为甚至最简单的魔术而惊讶和震撼。

当代的魔术师们不用在小城镇的草坪上支个棚子来炫耀他们的绝活了——一些幸运的家伙还会被电视机前数百万的观众拥戴，挣来大把大把的钞票，录像带销量第一，拥有数百个专门为他们开设的网站。让我们面对这一切吧，21世纪的魔术师已经是大牌明星了。

这些魔术师还在继续表演越来越多的野心勃勃的魔术。事实上，你可以用你的晚餐钱打赌，月球上一旦建起了第一座剧院，魔术师就是第一拨去那里演出的人。

怎么样？你准备好继续大踏步迈向魔术舞台了吗？你是不是已经在一位观众面前完成了第一次表演？你有没有什么带给人惊异的东西？那你还等什么呢？带上你的节目，开始实践你的魔术吧。记住，每一个魔术师都有开始的时候。

只要想干，你没准可以耍一个魔术让你的学校消失呢。

现在，看看魔术的力量……

如果你有兴趣找到更多有关魔术的东西，下面这些网址就可以帮忙啊：

魔术团体

▶ 魔术看台

www.themagiccircle.co.uk

▶ 美国魔术师协会

www.magicsam.com

▶ 国际魔术师协会

www.magician.org

▶ www.theyoungmagiciansclub.co.uk

一小部分很好的魔术网址（确切地说除了这些还有数千个呢）

http://www.magicweek.co.uk

http://www.allmagicfinder.com

http://www.allmagiccreview.com

http://www.magicmagazine.com

http://www.davidblaine.com

http://www.lanceburton.com

http://www.davidcopperfield.com